CARLOS CANAL

MIS CUENTOS PRESTADOS

{A mi hija Brianda Canal. Mi ratón, mi Bri.
Mi motivación para siempre tomar acción.
Eres lo mejor de mi vida}

[MIS CUENTOS PRESTADOS]

{Cuando comprendas que toda opinión es una visión cargada de historia personal, empezarás a comprender que todo juicio es una confesión}

- -

Durante muchos años me han dicho que tenía voz para la radio, voz para grabar anuncios, doblar películas. He de decir que la cosa siempre me gustó y motivó, pero nunca di el primer paso.

Os sonará eso de tener un deseo, pero ponerte mil disculpas para no hacerlo, ¿verdad?

Incluso ahora, que tengo mucha gente de **TikTok** diciéndome que escriba los cuentos que voy grabando. Y aun sabiendo que mi cerebro me conoce bien y que me va a contar mil disculpas para no hacerlo le sigo escuchando.

También deciros que he hecho teatro durante ocho años en la **Escuela de Teatro Escena Miriñaque.** Una aventura maravillosa que tuve que abandonar por temas de mi espalda, mi último curso fue en el 2016 con la obra *El zurdo.* Me lo pasé pirata de verdad y sé que un día volveré porque el teatro es otra de mis pasiones.

Cada vez más amigos volvían con lo de hacer pruebas de doblaje, otros que me decían que la voz me cambiaba al grabar los vídeos, algo de lo que yo nunca he sido consciente, pero si mi gente me lo dice será verdad.

No es momento de contar mi historia, pero sí deciros que mi cuerpo me paró en septiembre de 2014, caí de baja por problemas en la rodilla derecha debido a mi sobrepeso. Era **metre** de dos hoteles, pero los últimos años fueron realmente duros, con un director que no me quería y me buscaba las vueltas para largarme y al final lo consiguió, pues al año de estar de baja la empresa me despide y empieza una caída en mi vida más que interesante.

Mientras estaba de baja yo no podía volver a trabajar, regresar a ese ambiente era impensable así que sabía que debía seguir enfermo y mi mente que es muy obediente me dijo: «Tus deseos son órdenes». La otra rodilla se estropeó, la espalda empezó a complicarse más, una hernia, dos…

Como siempre os digo el poder de la mente.

Al final, juicios con la **Seguridad Social**, porque a día de hoy sigo con retos interesantes, de hecho, no puedo volver a estar trabajando como **metre** ni **sumiller** y voy dos veces al año a la **Unidad del Dolor, pero** todo es por algo y para algo mejor.

Toco fondo en junio de 2018 y es ahí, en el fondo del pozo donde se ve una luz interesante y empieza el cambio mental.

En diciembre de ese año, en un grupo de enfoque en la empresa nos pasan el vídeo de *El secreto* para que lo estudiemos y comentemos y en mi mente se produce un clic. En enero de 2019 cae en mis manos el libro *Cómo atraer el dinero* de Lain García Calvo.

También empiezo a estudiar esta obra y me encanta. Dentro de él viene un reto de salir a hacer deporte en la calle durante treinta y tres días seguidos, y me animo a hacerlo. Llegué a superar los seiscientos días seguidos sin parar de hacer deporte (el que mi cuerpo me permite).

Un día al llegar al **Centro Botín** en Santander, subí a la plataforma para ver la bahía más bonita del mundo, y me dije voy a grabar un vídeo de motivación para las historias de **Instagram**, me gustó cómo quedó, y ya que voy a salir todos los días por qué no grabar un vídeo como ese y ya llevo más de setecientos pensamientos positivos.

Ahí empecé a notar el *feedback* de la gente que les gustaba.

Y llegó marzo de 2020, ese maravilloso mes donde en España nos metieron en casa y nos dimos cuenta de lo frágiles que en el fondo somos.

Sucedió que algo tan sencillo como dar un apretón de manos podría convertirse en que tu cuerpo se llenara de un virus que ha terminado con la vida de millones de personas por todo el mundo.

Ni poder ir a una terraza a tomar un café con nuestra gente y nos cortaron el vernos en los bares, algo muy nuestro.

Dentro de ese encierro se podía salir a hacer algo de deporte y apareció una gran amiga, **Morena Orbea**, y me envió un texto de **Jorge Bucay** y me dijo que lo grabara, que con mi voz seguro que quedaría bien y, ya veis, desde entonces aquí sigo.

Mayo de 2020 el equipo nos da una formación de una nueva plataforma que está creciendo mucho en tiempo pandemia: **TikTok**.

Sara Tomaseti nos da una fantástica formación de cómo usar la plataforma para crear contactos, y poder llegar a hacer clientes.

Me descargué la aplicación y desde mayo de 2020 hasta ahora no he dejado de publicar ni un solo vídeo todos los días.

En diciembre de 2020 publico en **TikTok** «La serpiente y la sierra», y se hace viral llegando muy rápido a los dos millones de visitas. Con lo que ese mes paso de 2000 seguidores a 10 000 y la cuenta empieza a subir.

Pero sigo publicando todos los días. Qué importante es la constancia, no fallar ningún día, tener la meta clara, cuando tienes un motivo la acción sucede lo que llamamos motivación.

Dentro de esta maravillosa comunidad aparece un gran amigo que me pregunta por mi resultado, **Daniel Albors**, y aquí estamos: él se encarga de ayudarme en poder llevar este libro a tod@s vosotr@s y que espero os guste. Y, si sirve para que una persona cambie y se anime a luchar por lo que desea, todo el tiempo invertido en hacer los vídeos, escribir y poner en vuestras manos este libro habrá merecido la pena.

Así que, con todo mi cariño, os dejo

MIS CUENTOS PRESTADOS

{Carlos Canal CCS}

{¿PREPARADA?}
...
{¿PREPARADO?}

[LA SOPA DE PIEDRA]

{En muchas ocasiones la victoria es una
consecuencia directa del talento y del trabajo}

Érase una vez un viajero que después de recorrer un largo camino llegó a una pequeña aldea. El viajero no contaba con un lugar donde refugiarse o algo de comer. Pese a esto, él tenía la esperanza de que un aldeano amigable se ofreciera a alimentarlo.

El viajero llamó a la puerta de la primera casa que encontró. Una mujer abrió la puerta y el viajero le preguntó si podía ofrecerle un poco de comida. La mujer respondió un tanto molesta:

—Lo siento, no tengo nada que darte. —Y cerró de golpe la puerta.

Entonces, el viajero tocó otra puerta, pero la respuesta fue la misma:

—Lo siento, no tengo nada que darte.

Con mucha determinación, el viajero fue de puerta en puerta siendo rechazado una y otra vez.

Al ver que su plan no funcionaba, se dirigió a la plaza del pueblo, tomó una olla de lata que llevaba en su bolsa, la llenó con agua del río, comenzó el fuego y dejó caer una pequeña piedra en la olla.

Mientras hervía el agua, un aldeano se detuvo a preguntarle qué era lo que cocinaba.

El viajero contestó:

—Estoy cocinando una exquisita sopa de piedra. ¿Te apetece un poco?

El aldeano le dijo que sí y encantado se ofreció a traer zanahorias para agregarle a la sopa.

Al cabo de unos minutos, el aldeano regresó con diez zanahorias de su jardín. Otro aldeano, con curiosidad, se acercó a los dos hombres y les preguntó qué cocinaban. El viajero le respondió que cocinaban sopa de piedra con zanahorias.

—¡Qué interesante receta! —dijo el curioso aldeano—. ¿Será posible agregarle patatas a la sopa?

—Claro que sí —exclamó el viajero.

El curioso aldeano fue a su granja y regresó con una docena de patatas.

Un joven pasó y se unió al grupo, trayendo a su madre y todos los platos y cucharas de su casa.

No pasó mucho tiempo antes de que docenas de aldeanos se acercaran al viajero, todos ofreciendo su ingrediente favorito: jamón, champiñones, cebollas, bellotas, calabaza, sal y pimienta. Todos querían contribuir a la innovadora receta. Finalmente el viajero sacó la piedra de la olla y declaró:

—¡La sopa de piedra está lista!

Y fue así como toda una comunidad se unió a un festejo que comenzó con una pequeña piedra y un gran ingenio.

En muchas ocasiones la victoria es una consecuencia directa del talento y del trabajo.

Y lo mejor es permitir a los demás ser parte de nuestro éxito. Ya sabéis, cuanto más damos, más recibimos.

[MARTÍN Y SUS PAPÁS]

{Hijo, si te sientes mal o inseguro, ¡eso es para ti!}

Cada año los papás de Martín lo llevaban con su abuela para pasar las vacaciones de verano, y ellos regresaban a su casa en el mismo tren al día siguiente. Un día el niño les dijo a sus papás:

—Ya estoy grande, ¿puedo irme solo a la casa de mi abuela? Después de una breve discusión los papás aceptaron.

Están parados esperando la salida del tren, se despiden de su hijo dándole algunos consejos por la ventana, mientras Martín les repetía:

—¡Lo sé! Me lo han dicho más de mil veces.

El tren estaba a punto de salir y su papá le murmuró al oído:

—Hijo, si te sientes mal o inseguro, ¡eso es para ti!. Y le puso algo en su bolsillo.

Ahora Martín está solo, sentado en el tren tal como quería, sin sus papás por primera vez.

Admiraba el paisaje por la ventana, a su alrededor unos desconocidos se empujan, hacen mucho ruido, entran y salen del vagón.

El supervisor le hace algunos comentarios sobre el hecho de estar solo. Una persona lo miró con ojos de tristeza.

Martín ahora se siente mal cada minuto que pasa. Y en ese preciso momento tiene miedo.

Agachó su cabeza… se siente arrinconado, solo y con lágrimas en los ojos.

Entonces recordó que su papá le puso algo en su bolsillo, temblando, busca lo que le puso su padre.

Al encontrar el pedazo de papel lo leyó, en él estaba escrito:

«¡Hijo, estoy en el último vagón!».

Así es la vida, debemos dejar ir a nuestros hijos, debemos confiar en ellos.

Pero siempre tenemos que estar en el último vagón, vigilando, por si tienen miedo o por si encuentran obstáculos y no saben qué hacer.

Tenemos que estar cerca de ellos mientras sigamos vivos, el hijo siempre necesitará a sus papás, por siempre en el último vagón.

Qué curiosos los sentimientos que despierta el ser padre, ¿verdad?

{Yo daré todo por mi hija. ¿Y tú?}

[¿TÚ CORRES?]

{¡Sigue adelante siempre!}

En una ocasión una persona me vio con una camisa de alguna carrera que hice y me preguntó en tono burlón…

—¿Tú corres?

Le dije que sí.

—¿Y eres de los buenos o de los malos?

—Soy de los buenos —le dije.

—¿Ah, sí? Y ¿en qué lugar llegas?

—He llegado tercero, sexto, 30, 140, 640, 7, 200…

Depende de la cantidad de personas que asistan a la carrera.

—*Ufff…* Entonces, ¿en qué lugar llegan los malos?

¡LOS MALOS NO LLEGAN NI A INSCRIBIRSE AMIGO!

Siempre habrá gente que critica tu vida, tu trabajo, lo que haces, cómo lo haces, pero esas personas ni siquiera se atreven a hacer ni la mitad de lo que haces tú.

No dejes NUNCA que los pensamientos negativos de los demás le quiten el valor a lo que haces.

¡¡¡SIGUE ADELANTE SIEMPRE!!!

Sigue luchando por tus sueños.

[VIVIR EL PRESENTE]

{No guardes nada para una ocasión especial}

Mi amigo abrió el cajón de la cómoda de su esposa y levantó un paquete envuelto en papel de seda.

—Esto —dijo— no es un simple paquete, es lencería.

Retiró el papel que lo envolvía y observó la exquisita seda y el encaje.

—Ella compró esto la primera vez que fuimos a Nueva York, hace ocho o nueve años.

Nunca lo usó; lo estaba guardando para una «ocasión especial». Bueno... Creo que esta es la ocasión.

Se acercó a la cama y colocó la prenda junto con el resto de ropa que iba a llevar a la funeraria.

Su esposa acababa de morir. Volviéndose hacia mí, dijo:

—No guardes nada para una ocasión especial.

Todavía estoy pensando en esas palabras... ¡Han cambiado mi vida!

Ahora estoy leyendo más y limpiando menos. Me siento en la terraza y admiro el paisaje sin fijarme en las malas hierbas del jardín.

Paso más tiempo con mi familia y amigos y menos tiempo en el trabajo.

He comprendido que la vida debe ser un patrón de experiencias para disfrutar, no para sobrevivir.

Ya no guardo nada. Uso mis copas de cristal todos los días y me pongo mi chaqueta nueva para ir al supermercado. Ya no guardo mi mejor perfume para fiestas especiales; lo uso cada vez que me apetece hacerlo.

Las frases «Algún día...» y «Uno de estos días...» están desapareciendo de mi vocabulario.

Si vale la pena verlo, escucharlo o hacerlo, quiero verlo, escucharlo o hacerlo ahora.

No estoy seguro de lo que habría hecho la esposa de mi amigo si hubiera sabido que no estaría aquí para el mañana que todos tomamos tan a la ligera.

Creo que hubiera llamado a sus familiares y amigos cercanos.

A lo mejor hubiera llamado a algunos antiguos amigos para disculparse y hacer las paces por posibles enojos del pasado.

Me gusta pensar que hubiera ido a restaurantes de comida china, su favorita.

Son esas pequeñas cosas dejadas sin hacer las que me harían enojar si supiera que mis horas están limitadas.

Enojado porque dejé de ver a buenos amigos con quienes me iba a poner en contacto «algún día…».

Enojado porque no escribí ciertas cartas que pensaba escribir «uno de estos días…».

Enojado y triste porque no les dije a mis hijos, a mis padres, a mis hermanos y a mis amigos, con suficiente frecuencia, cuánto los amo.

Ahora trato de no retardar, detener o guardar nada que agregaría risa y alegría a nuestras vidas.

Y cada mañana me digo a mí mismo que este día es especial… Cada día, cada hora, cada minuto… es especial.

Es un cuento, pero también es una realidad. Dime, ¿cuántas veces dices mañana lo hago?

¿No crees que es hora ya de vivir el presente y disfrutar de todo lo bueno que nos rodea?

Deja el móvil y dile a esa persona que está a tu lado todo lo que no le has dicho porque esperabas un mejor momento. Coge este momento y hazlo espectacular.

[EL AMOR Y SUS SACRIFICIOS]

{El amor no se mide por lo que somos capaces de sacrificar sino por el tiempo que disfrutamos juntos}

Hace tiempo escuché la historia de una pareja que se conocía de toda la vida, desde niños y al llegar a la mayoría de edad se casaron.

Todo el pueblo estaba encantado con esa boda.

Ella era rubia con una hermosa cabellera que le llegaba hasta la cintura. Él atlético y fuerte. Y se fueron a vivir juntos a una cabaña a las afueras del pueblo.

Al llegar el primer aniversario habían pasado un año tan felices que ella quiso hacerle un regalo que nunca olvidara.

Ella fue al pueblo con las monedas que había ahorrado, buscó por todas las tiendas hasta que llegó a una joyería, vio una preciosa cadena de oro y se acordó de que el único objeto de valor que él tenía, el único bien material que él apreciaba, era un reloj de oro que su abuelo le regaló.

Todas las noches él acariciaba ese reloj y escuchaba su **tic-tac** como si oyera hablar a su abuelo. Así que decidió comprar esa cadena. Pero cuando preguntó el precio era más de lo que podía pagar.

Volvía a su casa cabizbaja y al pasar por la peluquería vio un cartel que ponía:

[SE COMPRA PELO NATURAL]

Su larga y rubia cabellera podía hacer posible la compra de la cadena; entró, preguntó y vio que si se dejaba el pelo muy muy corto podría comprar ese regalo para su amado esposo.

Qué importaba ese sacrificio por la persona amada, ella no se cortaba el pelo desde los quince años, pero no se lo pensó dos veces.

Así que el día del aniversario, a primera hora ella bajó al pueblo, se dirigió a la peluquería, se dejó el pelo casi al cero, cogió el dinero y compró la cadena.

El relojero emocionado por el detalle de ella le regaló un pañuelo para que se cubriera la cabeza.

Llegó a casa, la pareja se abrazó, se dijeron cuánto se amaban y ella sacó la caja donde estaba la cadena, él subió a la habitación y bajó con una caja de cartón con el regalo para ella.

Abrieron muy despacio y emocionados sus regalos, dentro de la caja de ella había dos enormes peines que él había comprado vendiendo el reloj de su abuelo.

Conviene pensar que es inútil el sacrificio y que aun cuando uno lo justifique por amor, que eso no sea su unidad de medida.

El amor no se mide por lo que somos capaces de sacrificar sino por el tiempo que disfrutamos juntos.

El verdadero amor no exige sacrificios.

[EL AMOR DE UNA PRINCESA]

{Si la persona que está a tu lado y está en su mano evitarte
dolor y no lo hace, es porque todo se ha terminado}

- -

Había una vez una princesa, que quería encontrar un esposo digno
de ella, que la amase verdaderamente.

Para lo cual puso una condición: elegiría marido entre todos los que
fueran capaces de estar 365 días al lado del muro del palacio donde
ella vivía, sin separarse ni un solo día de ese muro.

Se presentaron centenares, miles de pretendientes a la corona real.

Pero claro, al primer frío, la mitad se fue. Cuando empezaron los
calores, se fue la mitad de la otra mitad. Cuando empezaron a gas-
tarse los cojines y se terminó la comida, la mitad de la mitad de la
mitad, también se fue.

Habían empezado el primero de enero y cuando entró de nuevo diciembre, empezaron otra vez los fríos, y solamente quedó un joven.

Todos los demás se habían ido, cansados, aburridos, pensando que
ningún amor valía la pena.

Solamente este joven que había adorado a la princesa desde siempre, estaba allí, anclado en esa pared y ese muro esperando pacien-
temente que pasaran los 365 días.

La princesa que había despreciado a todos, cuando vio que este
muchacho aguantaba, empezó a mirarlo con los ojos de que este
hombre quizá la quisiera de verdad.

Lo había espiado en octubre, había pasado a su lado en noviembre
y en diciembre, disfrazada de campesina, le había dejado algo de
comida y bebida.

Lo había visto en sus ojos, se había dado cuenta de su mirada sin-
cera. Entonces ella le dijo al rey:

—Papá, creo que esta vez vas a tener boda, este hombre realmente
me quiere.

El rey se puso contento y empezó a preparar todo lo necesario para la boda. Y había mandado a la guardia real que el 1 de enero cuando se cumplieran los 365 días, fueran donde él para llevarlo a palacio para hablar con él.

Todo estaba preparado, todo el pueblo esperaba ansioso el 1 de enero.

La noche del 31 de diciembre, después de pasar en ese muro 364 noches allí, pasando hambre y frío. El joven, ese último día, se levantó y se fue.

Él fue hasta su casa y fue a ver a su madre, y la madre le dijo:

—Hijo, querías tanto a la princesa, estuviste allí 365 días y 364 noches. ¿Qué pasó? ¿No pudiste aguantar más?

Y el hijo contestó:

—Sabes qué madre, me enteré que me había visto, me enteré que me había elegido, me enteré que le había dicho a su padre que se iba a casar conmigo.

Y a pesar de todo eso, no fue capaz de evitarme una sola noche de dolor y pudiendo hacerlo, no fue capaz de evitarme una noche de sufrimiento.

Alguien que no es capaz de evitarme una noche de sufrimiento no merece de mi amor, ¿verdad, mamá?

Si la persona que está a tu lado y está en su mano evitarte dolor no lo hace, es porque todo se ha terminado.

Estamos aquí para dar, para compartir, para ayudar, para echar una mano, porque un mundo mejor es posible y depende de ti y de mí.

[PAPI, ¿CUÁNTO ME QUIERES?]

{¿Las personas cuando mueren van a algún lugar, papá?}

El día que mi María José nació, en verdad no sentí gran alegría, porque la decepción que sentía, parecía ser más grande que el gran acontecimiento que representa tener una hija.

¡Yo quería un varón!

A los dos días de haber nacido fui a buscar a mis dos mujeres, una lucía pálida y agotada y la otra radiante y dormilona.

En pocos meses me dejé cautivar por la sonrisita de mi María José y por la infinita inocencia de su mirada fija y penetrante, fue entonces cuando empecé a amarla con locura.

Su carita, su sonrisita y su mirada no se apartaban ni por un instante de mis pensamientos, todo se lo quería comprar, la miraba en cada niño o niña, hacía planes sobre planes, todo sería para mi María José.

Este relato era contado a menudo por Randolf, el padre de María José y yo también sentía gran afecto por la niña, que era la razón más grande para vivir de Randolf según aseguraba él mismo.

Una tarde, estaba mi familia y la de Randolf haciendo un **pícnic** a la orilla de un río cerca de casa y la niña entabló una conversación con su papá, todos escuchábamos:

—Papi…, cuando cumpla quince años, ¿cuál será mi regalo?

—Pero, mi amor, si apenas tienes diez añitos, ¿no te parece que falta mucho para esa fecha?

—Bueno, papito…, tú siempre dices que el tiempo pasa volando, aunque yo nunca lo he visto alas a los relojes.

La conversación se extendía y todos participamos de ella. Al caer el sol regresamos a nuestras casas.

Una mañana me encontré con Randolf enfrente del colegio donde estudiaba María José, quien ya tenía catorce años.

Randolf con gran orgullo me mostraba las calificaciones de María José, eran notas impresionantes y felicité al dichoso papá.

Fue un domingo muy temprano cuando nos dirigíamos a misa, cuando María José tropezó con algo, eso creíamos todos y dio un traspié, su papá la agarró de inmediato para que no cayera…

Ya instalados en la iglesia, vimos cómo María José fue cayendo lentamente sobre el banco y casi perdió el conocimiento.

La tomamos en brazos, mientras su papá buscaba un taxi hacia el hospital.

Allí permaneció por diez días y fue entonces cuando le informaron que su hija padecía una grave enfermedad que afectaba seriamente a su corazón, pero no era algo definitivo, ya que deberían practicar otras pruebas para dar un diagnóstico.

Los días iban pasando, Randolph renunció a su trabajo para dedicarse al cuidado de María José, su madre quería hacerlo, pero decidieron que ella trabajaría, pues sus ingresos eran superiores.

Una mañana Randolph se encontraba al lado de su hija cuando ella le preguntó:

—Voy a morir, ¿no es cierto? ¿Te lo dijeron los doctores?

—No, mi amor, no vas a morir, Dios que es tan grande no permitiría que pierda lo que más he amado sobre este mundo —respondió el padre.

—¿Las personas cuando mueren van a algún lugar, papá? ¿Pueden ver desde lo alto a su familia? ¿Sabes si pueden volver?

Bueno, hija, en verdad nadie ha regresado para contar algo sobre ello, pero si yo muriera no te dejaría sola, estando en el más allá buscaría la manera de comunicarme contigo, en última instancia utilizaría el viento para venir a verte.

—¿Al viento y como lo harías?

—No tengo la menor idea, hijita, solo sé que si algún día muero sentirás que estoy contigo cuando un suave viento roce tu cara y una brisa fresca bese tus mejillas.

Ese mismo día por la tarde llamaron a Randolph. El asunto era grave, su hija se estaba muriendo, necesitaban un corazón, pues el de ella no resistiría sino unos quince o veinte días más.

Un corazón, ¿dónde hallar un corazón? Lo vendería en la farmacia, acaso en el supermercado o en una de esas grandes tiendas que propagan por radio o en internet. Dios mío un corazón, pero dónde.

Ese mismo mes, María José cumpliría quince añitos. Y fue el viernes por la tarde cuando consiguieron un donante, una esperanza iluminó los ojos de todos y parecía que las cosas iban a cambiar.

El domingo por la tarde ya María José estaba operada, todo salió como los médicos habían planeado, éxito total.

Sin embargo, Randolph no había vuelto por el hospital y María José lo extrañaba muchísimo.

Su mamá le decía que todo estaba muy bien y que su papito sería el que trabajaría para sostener a la familia a partir de ahora.

María José permaneció en el hospital por quince días más, los médicos no habían querido dejarla ir hasta que su corazón estuviera firme y fuerte y así lo hicieron.

Al llegar a casa todos se sentaron en su enorme sofá y su mamá con los ojos llenos de lágrimas le entregó una carta de su padre:

María José, hija de mi corazón, al momento de leer mi carta ya debes tener quince años y un corazón fuerte latiendo en tu pecho, esa fue la promesa que me hicieron los médicos que te operaron.

No puedes imaginarte ni remotamente cuánto lamento no estar a tu lado en este instante, cuando supe que vas a

morir decidí dar respuesta a una pregunta que me hiciste
cuando tenías diez añitos y a la cual no respondí.

Decidí hacerte el regalo más hermoso que nadie jamás
haría por ti, hija mía, te regalo mi vida entera sin condi-
ción alguna para que hagas con ella lo que quieras. Vive,
hija, te amo con todo mi corazón.

María José lloró todo el día y toda la noche.

Al día siguiente fue al cementerio y se sentó sobre la tumba de su papá, lloró como nadie lo ha hecho y susurró:

—Papá, ahora puedo comprender cuánto me amabas, yo también te amaba y nunca te lo dije. Ahora comprendo la importancia de decir te amo y te pediría perdón por haber guardado silencio tantas veces.

En ese instante las copas de los árboles se mecieron suavemente, cayeron algunas hojas y florecillas y una suave brisa rozó las mejillas de María José, alzó la mirada al cielo, intentó secar las lágrimas de su rostro, se levantó y emprendió el regreso a su hogar.

Nunca dejes de decirle a esa persona cuánto la quieres, la vida puede cambiar en un minuto, siempre di que la amas.

[SUELTA EL VASO]

{Cuanto más tiempo lo sujeto, más pesado
y más difícil de soportar se vuelve}

- -

Un psicólogo, en una sesión grupal, levantó un vaso de agua y preguntó:

—¿Cuánto pesa este vaso?

Las respuestas variaron entre 200 y 250 gramos. El psicólogo respondió:

—El peso absoluto no es importante.

Depende de cuánto tiempo lo sostengo.

Si lo sostengo un minuto, no es problema.

Si lo sostengo una hora, me dolerá el brazo.

Si lo sostengo un día, mi brazo se entumecerá y paralizará.

El peso del vaso no cambia, es siempre el mismo.

Pero, cuanto más tiempo lo sujeto, más pesado, y más difícil de soportar se vuelve.

Las preocupaciones, los pensamientos negativos, el resentimiento, son como el vaso de agua.

Si piensas en ellos un rato, no pasa nada.

Si piensas en ellos todo el día, empiezan a doler.

Y si piensas en ellos toda la semana, acabarás sintiéndote paralizado, e incapaz de hacer nada.

¡Acuérdate de soltar el vaso!

[¿QUÉ ES EL LUJO?]

{Lujo es el privilegio de amar y estar vivos}

Nos hicieron creer que el lujo era lo raro, lo caro, lo exclusivo, todo aquello que nos parecía inalcanzable.

Ahora nos damos cuenta que el lujo eran esas pequeñas cosas que no sabíamos valorar cuando las teníamos y ahora que ya no están, las echamos tanto de menos.

Lujo es estar sano.

Lujo es no pisar un hospital.

Lujo es poder pasear por la orilla del mar.

Lujo es salir a las calles y respirar sin mascarilla. Lujo es reunirte con toda tu familia, con tus amigos. Lujos son las sonrisas.

Lujo son los abrazos y los besos. Lujo es disfrutar cada amanecer.

Lujo es el privilegio de amar y estar vivos. Todo eso es un lujo y no lo sabíamos.

Disfruta de tus lujos, sé inquebrantable, siempre cree en ti. Pasemos un momento de lujo con nuestra gente en los bares.

[LA PARÁBOLA DE LA RANA]

{Hay que saber cuándo es el momento
de ajustar, seguir adelante o saltar}

Pon una rana en un recipiente lleno de agua y comienza a calentarla.

A medida que la temperatura del agua empieza a subir, la rana ajusta su temperatura corporal en consecuencia.

La rana se mantiene ajustando su temperatura corporal con el aumento de la temperatura del agua.

Justo cuando el agua está por alcanzar el punto de ebullición, la rana no puede ajustar más.

En este momento la rana decide saltar.

Ella lo intenta, pero es incapaz de hacerlo, ya que ha perdido toda su fuerza ajustando su temperatura corporal.

Muy pronto la rana muere.

¿Qué mató a la rana?

¡Piensa en eso!

Muchos dirán que el agua hirviendo, pero en realidad lo que causó su muerte fue su propia incapacidad para decidir cuándo saltar.

Moraleja: Todos nos tenemos que ajustar, con la gente y las diferentes situaciones, pero tenemos que saber cuándo es el momento de ajustar, seguir adelante o saltar…

¡DECIDE CUÁNDO SALTAR!

Y no esperes mucho, porque el que espera, desespera y puede que te quedes sin fuerzas.

[ME ABURRO, PAPÁ]

{La imaginación es realidad, hace que se creen cosas
y ahí nos volvemos unos inquebrantables}

Comenzó el verano y Marta estaba entusiasmada. La piscina, el fin de las clases, los amigos del barrio...

Un sueño hecho realidad.

Y así fueron las dos primeras semanas. Marta no paraba ni un minuto.

De la piscina a la tele, de la tele a la consola, de la consola a la piscina, de la piscina al parque.

Vamos, que no había un solo minuto del día en el que se estuviera quieta. Pero sucedió algo inesperado.

Sus dos amigas del barrio se marcharon de vacaciones y ahora bajar a la piscina ya no era tan divertido.

Además, la consola y la tele terminaban por agotar su paciencia y ya no era divertido jugar en el parque porque sin sus dos amigas no sabía cómo inventar historias a las que jugar.

De repente, Marta sintió una terrible sensación de soledad.

—¿Qué voy a hacer si no tengo amigas con las que jugar?

Y apareció esa frase que siempre se repetía cuando Marta estaba sola:

—Papá, me aburro. ¿A qué puedo jugar?

Su padre, que ya preveía que esto iba a suceder, tenía un plan bien organizado para que Marta descubriera lo divertido que es aburrirse.

—Había pensado ir a dar un paseo en bicicleta por el campo, ¿te apuntas? —propuso su padre.

—Bueno —dijo Marta a regañadientes.

Se montaron en las bicis bien temprano y comenzaron a pedalear hasta que llegaron a un pequeño riachuelo que quedaba muy cerca de su casa.

—¿Sabías que cuando yo era pequeño también hacía este recorrido? —dijo el padre de Marta con cara de satisfacción.

—¿Y por qué nunca me lo habías enseñado? —preguntó Marta.

—Pues porque siempre estás muy ocupada con tus amigas, las consolas y la televisión y nunca quieres salir conmigo.

Marta se quedó pensativa.

Era verdad, siempre que sus padres le proponían hacer algo juntos, ella prefería quedarse con sus amigas o jugando con su consola.

Continuaron por un sendero que seguía el curso del pequeño río.

El paisaje era muy bonito y al estar tan cerca del río y rodeados de árboles, no se notaba tanto el calor del verano.

Se detuvieron en una especie de escaleras formadas por rocas.

Papá dejó su bicicleta y la de Marta atadas a uno de los árboles y comenzaron a bajar con mucho cuidado.

Marta estaba emocionada por la aventura que estaban viviendo: senderos, ríos, inmensos árboles y escaleras de rocas.

—Pisa con cuidado y siempre detrás de mí-, explicó el padre.

—Vale, papá.

Cuando llegaron abajo, Marta estaba exhausta y al levantar la mirada del suelo se quedó sin palabras.

Habían llegado a una parte del río donde se formaban pequeñas cascadas e incluso una zona en la que poder bañarse o sentarse a disfrutar del paisaje.

—¡Papá, esto es precioso! —exclamó Marta.

—Cuando yo era niño me gustaba pasar largas horas en este lugar.

Aquí creaba las mejores historias de aventuras y piratas que jamás hayas imaginado.

Además, siempre traía unos cuantos botes de cristal para meter las piedras que más me gustaban o los insectos raros que me iba encontrando.

Aquí sentía que todo era mágico y me encantaba disfrutar creando pequeñas cabañas a base de los troncos que iba encontrando.

—¿Y no tenías amigos?

—Claro que sí.

A veces venía con ellos y nos pasábamos las horas inventando historias con las que nos divertíamos todo el día. Otras veces, cuando mis amigos no estaban me venía solo y continuaba dando rienda suelta a mi imaginación.

—Ya, pero yo no tengo tanta imaginación.

—Eso es porque nunca la utilizas.

Te has acostumbrado a que los juegos te los ofrezca la consola o a jugar con tus amigas a simular que sois como los dibujos animados que veis en la tele, pero no sois capaces de crear vuestras propias historias de fantasía.

—¡Uf!, eso no es tan fácil.

—Vamos a hacer una cosa:

Esta noche vas a intentar hacer un dibujo de alguna fantasía con la que hayas soñado alguna vez o que hayas leído en algún cuento de los que te trae la abuela.

—Después, pon ese dibujo bajo tu almohada y al día siguiente volveremos aquí.

Tal vez la magia de la noche haga que tu imaginación vuelva a resurgir. Ya verás como no hay nada más divertido que imaginar y crear historias.

Marta hizo lo que su padre le dijo.

Hizo un dibujo que llevaba tiempo en su mente, pero que tal y como su padre le había dicho, nunca tenía tiempo de pintarlo, porque siempre estaba muy ocupada con otras cosas.

Metió el dibujo bajo la almohada y se fue a dormir.

Al día siguiente, cuando llegaron a las cascadas, el padre de Marta le pidió que sacara su dibujo.

—Imagina que lo que has pintado cobra vida aquí y ahora, ¿qué sucedería? —dijo el padre.

Marta no supo qué responder, sacó el dibujo de su bolsillo y lo miró fijamente.

De repente le pareció como si su dibujo se moviese, cerró los ojos con fuerza y los volvió a abrir dos veces para ver si recuperaba la cordura, pero al volver a mirar su dibujo le sorprendió un ruido que venía de las cascadas.

Marta no podía creer lo que estaba sucediendo, las cascadas se estaban abriendo y salió un ciervo montado por un hada del bosque, era justo lo que había dibujado en la noche anterior.

Pasaron varias horas en las que la pequeña no paró de jugar con su hada y de imaginar que saltaban de un lado a otro, haciendo mágicas pócimas y curando a todos los animales que estaban enfermos en el bosque.

Aquel día Marta disfrutó como nunca lo había hecho, al caer la tarde el padre de Marta tuvo que despertar a su hija de aquel maravilloso juego de imaginación, pues había que volver a casa para que mamá no se preocupara por ellos.

—Papá, tenías tanta razón, imaginar y crear historias es aún más divertido que sentarse junto a la consola. ¿Podemos volver otro día para recoger piedras? —preguntó emocionada la pequeña.

—Claro que sí, cariño, pero ahora vamos a volver y hacer más dibujos para que puedas darles vida con la imaginación.

Durante todo el verano Marta lo pasó de maravilla.

Conoció nuevas amigas con las que jugar y no paró de dibujar nuevas historias con las que imaginar y crear nuevas aventuras con las que disfrutar.

Las mejores vacaciones son las que te permiten conocer gente nueva y descubrir que tu imaginación y creatividad no tienen límites.

¿Te animas a dar rienda suelta a tu imaginación?

Venga, tira el teléfono, cierra los ojos y cree que es verdad. La imaginación es realidad, hace que se creen cosas y ahí nos volvemos unos inquebrantables.

[YO PUEDO]

{Pueden porque creen que pueden}

Hablando con gente, con amigos, no paran de decirme todo el rato:

NO PUEDO Lo malo es que cuando me lo
dicen, están totalmente convencidos de ello.
Tienen muy claro que NO PUEDEN.

Y eso me hace pensar mucho y me deja mal cuerpo.

¿Sabes por qué? Ya lo dijo Virgilio hace muchísimos años:

«**Pueden porque creen que pueden**»: No dice *pueden* porque saben que pueden, quiere decir que si tú estás diciéndote que no puedes, al final NO PODRÁS.

Si crees que ya has hecho todo lo que podías, ya no queda nada más y entonces tenemos dos opciones:

Te sientas a llorar, a lamentarte o te vas a levantar y empezar a cambiar y a hacer algo.

Recuerda: pueden porque CREEN QUE PUEDEN.

Puedes hacerlo, fíjate hasta donde has llegado y no mires el camino que falta. Fíjate lo que has superado, todos los retos que ya has solucionado.

¡Coño!, por favor, date cuenta de la grandeza que tienes.

Todos y todas podemos hacerlo. Sacar ese poder que tenemos dentro de nosotros, de nosotras.

Podemos materializar en nosotros esa vida que soñamos.

Ser más felices, mejores padres, mejores madres, mejores personas, mejores ciudadanos.

Claro que podemos, pero tienes que empezar a hacer algo.

Que no es fácil ni difícil, solo tienes que hacerlo y es, empezar a creer. Creer en tus sueños, creer en que lo puedes hacer.

Creer que es posible, creer en tu potencial.

Pero, sobre todo, tienes que creer en ti y estar dispuesto a dejarte la piel en busca de tu propósito.

Y si allá afuera te ponen trabas, no los escuches.

No pidas consejo a quien no tiene resultados, es como pedir a un vegetariano que te recomiende un buen solomillo.

La oportunidad siempre está ahí, aunque creas que solo tienes un 1 % tienes que darle a fuego.

Tienes que apostarte a ti mismo, a ti misma, que es posible, que puedes hacerlo, que puedes lograrlo, el problema lo hemos visto al principio, la gente cree que no puede, pero TÚ PUEDES, seguro que sí.

TODOS PODEMOS, lo tengo claro.

Pero tienes que creer, y tienes que entrenarte, no te faltan habilidades solo la práctica para lograrlas.

Recuerda que Edison dice que descubrió 999 maneras de cómo no hacer una bombilla.

Tienes que dar el paso, aprender lo que te falta, a luchar, y a dejar de escuchar a los que ya se rindieron y te dicen que no puedes.

¿Sufrirás? Sí, claro, ¿dolerá? Por supuesto, pero más duele llegar al final y ver dónde estás y dónde podrías haber estado solo por dar un paso diferente.

Duele mucho más quedarte a las puertas.

Tienes que luchar por todo, es todo o nada y en el nada ya estás así que dale a por todas y el momento es ahora.

Ahora es cuando tienes que salir y luchar, ahora es cuando tienes que dejar el sofá. Ahora es cuando tienes que decirte «empieza ya».

Ahora es cuando tienes que mirarte al espejo y decirte yo puedo porque soy un inquebrantable.

Lucha por ti, por tus sueños, por lo que te motiva, empezar a decirte YO merezco algo mejor, empieza a decirte Sí es posible, que sí puedes hacerlo.

Es la creencia, cree, ten fe, es así, una vez más te digo cree en ti.

Ten claro lo que vas a conseguir, ten claro a dónde vas, porque si no tienes claro dónde vas ya has llegado, el 90 % de tu combustible es tu creencia de que lo vas a lograr. Muévete, deja de quedarte ahí, deja de quejarte, deja de decirte «NO PUEDO», deja de echar la culpa a los demás, deja de culpar al Gobierno, al jefe, a la familia.

No eches la culpa a todo el mundo porque solo nosotros y nosotras somos los responsables de donde estamos, de lo que hacemos, de nuestros resultados.

Asume tu responsabilidad y tu compromiso, un compromiso desde tus entrañas de que vas a luchar por tus sueños.

El compromiso de poder ayudar a las personas que logren los suyos. El compromiso de dejar un mundo mejor de lo que lo encontramos. El compromiso de vivir con pasión.

¿Te imaginas vivir la vida que deseas, la vida donde das lo mejor de ti?

Vivir esa vida donde dejas que toda tu fuerza salga para derrotar a cualquier gigante que se enfrente a ti.

Una vida donde vas a dar lo mejor, no lo que te sobra. Olvida las sobras, de eso ya hay demasiado y de nada sirve. Da lo mejor, para obtener lo mejor y exige siempre lo mejor.

El problema es que muchos no saben lo que quieren, escribe lo que quieres, cásate con lo que quieres y jamás le seas infiel a tus sueños.

Es posible, lo vas a hacer, lo vas a lograr, al final llegarás y si aún no lo logras es porque no es el final, te levantarás una vez más y dirás YO PUEDO.

En ese momento que te llaman loco, anormal, raro, y tú te atreves a dar un paso más, a darle caña, caña y caña, levantarte, luchar, pelear y sobre todo comprometerte para alcanzar todo aquello que te mereces:

Tus metas, tus sueños y te demostrarás a ti mismo, a ti misma…

Que tú puedes hacerlo, que tú puedes con todo.

Que tú eres un invencible. Eres un inquebrantable.

[LA ASERTIVIDAD DE RUTH]

{Todos tenemos derecho a dar nuestra
opinión y a ser tenidos en cuenta}

Cuando Claudia entró en casa, su rostro mostraba agotamiento y tristeza.

Normalmente siempre volvía muy contenta del colegio, así que su abuela comprendió enseguida que algo había ocurrido en el colegio.

—Claudia, ¿quieres que salgamos a merendar? Han abierto una pastelería nueva y los pasteles tienen un aspecto delicioso —preguntó la abuelita.

—Gracias, abuela, pero no tengo mucho apetito.

—Bueno, cariño, pues si quieres me cuentas primero lo que te pasa y cuando te encuentres mejor y más alegre nos vamos juntas. ¿Qué te parece? ¿Quieres contarme por qué estás tan triste?

Claudia estaba sorprendida, ¿cómo se habría enterado su abuela de lo sucedido en el cole?

Comenzó a ponerse muy nerviosa y su frente empezó a arrugarse como la de uno de esos perros que tienen tanta piel.

—Pero, abuela, ¿cómo te has enterado?

—He visto tu cara y me he imaginado que algo te había pasado, porque esta mañana estabas muy contenta y ahora has vuelto totalmente abatida.

En ese momento Claudia se relajó, nadie había dicho nada, era todo un alivio.

—Pues verás, abuelita, es que hoy me he peleado con mi mejor amiga, Paula, porque ella siempre me está diciendo lo que debemos hacer y a lo que debemos jugar.

Pero hoy he sido muy egoísta, porque no me apetecía jugar al pillapilla y le he dicho que si no le importaba nos quedábamos sentadas.

Es que me dolía un poco la tripa y cuando a Paula le sucede algo, yo siempre me quedo a su lado. Sin embargo, ella se ha ido a jugar con otras niñas y me ha dicho que soy una egoísta por no querer jugar.

La abuela se quedó unos segundos en silencio, respiró hondo y se acercó a la librería.

Con el dedo seleccionó un minúsculo cuento, lo sacó y lo abrió.

—Te voy a contar una historia. Este libro se llama *La asertividad de Ruth.*

Había una vez una pequeña llamada Ruth. Todo el mundo decía de ella que era la niña más buena de la aldea.

Ruth siempre estaba dispuesta a ayudar a los demás, aunque tuviese que dejar lo que estuviera haciendo. Era incapaz de decir que no a un amigo y siempre hacía todo lo que le pedían.

Un día, llegó una niña nueva al colegio, se llamaba Marta.

Era una niña bastante revoltosa, pero Ruth se presentó y le ofreció su ayuda para todo lo que necesitase.

Marta entendió que Ruth era muy buena y decidió aprovecharse de ella.

Cada vez que su mamá le mandaba a hacer un recado, ella llamaba a Ruth y le encargaba que lo hiciera por ella.

Siempre le pedía que terminase sus deberes y no paraba de molestarla con pedidos agotadores.

Ruth siempre estaba dispuesta a ayudar, pero una mañana amaneció enferma y tuvo que decir a Marta que no podría ayudarla con todo lo que le pedía.

También tuvo que pedir al resto de personas de la aldea que la dejasen descansar, pues con tanto ayudar a los demás había descuidado su salud y se había enfermado.

Pasados unos días Ruth mejoró y volvió a la escuela, pero para su sorpresa ninguna amiga le quería dirigir la palabra.

Enseguida se dio cuenta de que Marta estaba todo el rato cuchicheando a sus espaldas.

De pronto, una de sus mejores amigas se acercó y le dijo: «Ruth, eres muy egoísta, estos días hemos tenido que jugar solas y nadie nos ha ayudado a hacer las cosas».

Ruth no entendía cómo habiendo sido siempre tan buena con todo el mundo, ahora nadie agradecía su esfuerzo.

En ese momento un niño, que siempre jugaba solo, se acercó a ella y le dijo:

—Yo seré tu amigo. Pero no quiero que hagas siempre lo que yo te diga, al igual que yo no lo haré. Los amigos deben ser sinceros y tenemos que ser capaces de decir «no» cuando algo no nos parezca bien.

Ruth sonrió; ella no estaba acostumbrada a que nadie tuviera en cuenta su opinión.

Durante toda su vida se había dedicado a complacer a los demás y nunca nadie había tenido en cuenta si le apetecía o no hacerlo.

Y desde entonces Ruth aprendió el valor del respeto hacia uno mismo y hacia los demás y la importancia de la amistad sin condiciones.

La abuelita dio por terminado el cuento, se quitó sus gafas y se dirigió a Claudia diciendo:

—La moraleja de este cuento, querida nieta, es que hay que saber decir que «no», con respeto hacia los demás, pero también sabiendo respetar tus propios deseos.

No por complacer a todo el mundo vas a conseguir que todos sean tus amigos.

Si alguien no es capaz de tener en cuenta tu opinión, tal vez no te interese tenerlo como amigo o amiga.

En la vida hay que saber decir que no cuando algo no te apetece o no te parece correcto.

El respeto y las buenas formas no deben estar reñidos con saber hacer entender cuáles son tus preferencias.

Si en algún momento no puedes ayudar a alguien porque estás muy ocupado, debes ser capaz de decir «no»; a veces hay que dar importancia a tus propias obligaciones.

—Así que «NO» Claudia, no te has comportado como una egoísta con tu amiga Paula. Lo único que ha ocurrido es que has encontrado tu asertividad.

—¿Cómo? —preguntó Claudia con el gesto torcido.

—Pues eso, que has encontrado tu asertividad, has aprendido a decir que no cuando ha sido necesario sin faltar el respeto a nadie y lo más importante es que al ser asertivo, has aprendido a respetar tus propias opiniones, porque ¿sabes qué?, todos tenemos derecho a dar nuestra opinión y a ser tenidos en cuenta y tú sabes dónde está tu asertividad.

Ser asertivo es tener la capacidad social de expresar una opinión o sentimiento de una manera respetuosa, honesta, pero también directa. Todos tenemos derecho a decir no cuando algo no nos gusta o nos parece mal.

El respeto a los demás pasa por respetarnos primero a nosotros mismos, ser bueno es importante pero no hay que someterse jamás a los demás.

[MARÍA APRENDE A SER FELIZ]

{Despierta tu don, cree en ti}

María vive en una aldea con su mamá, su papá y su abuela.

Cada mañana tiene que madrugar para ir a la escuela que está un poco alejada de su casa.

A María le cuesta mucho levantarse cada mañana, se despierta de mal humor y empieza a refunfuñar, pierde tanto tiempo en gritar a su abuelita, que apenas tiene tiempo de desayunar y casi todos los días, se marcha con el estómago vacío.

Así, cada mañana, cuando María sale de casa, su abuela se queda muy triste, porque casi nunca se toma el desayuno que con tanto cariño le prepara.

Desde muy pequeña, María ha sido una niña muy revoltosa y bastante desobediente.

Llora por todo. Si sus papás le dicen que no a algo, llora.

Si pierde jugando con sus amigos, llora. Si le riñen por algo que ha hecho mal, llora y culpa a los demás de sus propios errores. Siempre llora y siempre se enfada.

Nunca acepta los consejos de sus padres y no quiere esforzarse por nada.

No se esfuerza ni siquiera cuando sus papás le prometen un premio a cambio de comer bien.

—Si comes todo rápido y sin rechistar, vamos al cine.

Pero María no se lo come y sin embargo se enfada cuando sus papás le dicen:

—¡Pues como no te lo has comido, no hay cine! Quedan tres días para su cumpleaños y María se ha puesto a buscar por toda la casa sus regalos. No quiere esperar a abrirlos en su fiesta... ¡Los quiere ya!

Al entrar en la cocina, puede escuchar a su madre y a su abuela hablando en voz baja en el jardín y decide espiarlas. Se acerca a la ventana, con mucho cuidado para que no la vean.

«Desde aquí puedo verlas y oírlas, pero ellas no me pueden ver a mí», piensa María.

La cara de su madre muestra preocupación, mientras su abuela niega con la cabeza.

—No sé cómo decírselo —dice la mamá.

—Creo que no lo va a conseguir —comenta la abuela.

—Ya, pero tiene que saberlo, de lo contrario ni siquiera podrá intentarlo —replica mamá.

—Espero que sea capaz de entender. Sería una pena que no aprovechará la oportunidad que tiene —dice la abuela con gesto triste.

María se queda totalmente intrigada y pasa el resto del día en silencio, intentando averiguar qué se traen entre manos su mamá y su abuela.

Como no tiene paciencia, comienza a enfadarse:

—¿Por qué no me lo cuentan? ¡Seguro que lo hacen para fastidiarme! ¡Seguro que quieren que no me entere!

Al final del día María está superenfadada, aunque no sabe muy bien por qué.

Tras la cena, la mamá acuesta a María y le dice que hoy no van a leer, que quiere contarle algo.

Se trata de un secreto que ha ido pasando de generación en generación, por todas las mujeres de la familia.

—Mi abuela se lo transmitió a mi madre; mi madre a mí, y yo te lo debo transmitir a ti. Aunque te advierto que entraña una gran responsabilidad.

María arde en deseos de que su mamá le cuente el secreto familiar. Está impaciente y no puede esperar un segundo más.

—¡Vamos, mamá, vamos! —Pues verás —dice la mamá—, en nuestra familia, todas las mujeres, la noche en la que cumplen ocho años son agraciadas con un don muy especial. Se trata de una especie de poderes mágicos que nos permiten ayudar a otras personas…

Sin dejar acabar a su mamá, María empieza a gritar sin control.

—¡Voy a tener poderes, voy a tener poderes…!

Mamá le pide que preste atención a lo que le está contando para saber cómo adquirir este maravilloso don. Pero María ya se ha desconcentrado y no se entera de nada.

Mamá, desesperada, decide marcharse y dejar que María se duerma.

Han pasado dos días desde que la mamá de María le contó el gran secreto familiar. Desde entonces, María ha estado como loca.

En el colegio le ha dicho a las compañeras:

—Ya verás, el día de mi cumple voy a ser la mejor y si te portas mal conmigo te vas a enterar.

En casa no hace ni caso a nadie, al final llega la noche y la mamá intenta explicar a María que, para obtener ese don, existen una serie de condiciones que debe cumplir, pero María no escucha.

—Hoy cumplo ocho años mamá, mamá ya tengo ocho años, ya tengo poderes, pero ¿qué tengo que hacer para utilizarlos? —pregunta María intrigada. María no había entendido nada porque no había escuchado a su mamá.

—Como no me has querido escuchar no he podido explicar cómo se consiguen los poderes —contesta su madre.

La pequeña abre los ojos sorprendida y piensa:

—Pero ¿no me los dan por ser tu hija?, ¿por qué no me los dan? Quiero mis poderes.

Su mamá se enfada mucho, le dice:

—Las cosas no se consiguen gritando, para que obtengas tus poderes tienes que hacer las cosas bien, las cosas no se consiguen llorando y enfadándose.

—Pero son mis poderes, quiero mis poderes —grita María—. Mentirosa, eres una mentirosa, mamá.

Como no se puede hablar con ella, la mamá termina marchándose muy triste a trabajar. Pasadas dos horas de llantos y pataletas, María decide buscar a su abuela y ver si su abuela le puede explicar qué está pasando.

Su abuela le explica:

—El don hay que ganárselo, vamos a ver, ¿cómo te has portado este año? —pregunta la abuelita.

María empieza a recordar lo mal que se ha comportado, ha sido muy desobediente, llorica y caprichosa, siempre echando la culpa de las cosas que le salen mal a sus compañeros de cole y a sus papás.

Entonces empieza a gritar y a llorar, le echa la culpa a su mamá por haberla mentido y da un portazo en su habitación.

La abuela no ha podido terminar de explicarle, pero María ya no escucha.

Cansada de tanto llorar y patalear sin ningún sentido y sin obtener nada a cambio, se da cuenta de que si no se calla y escucha lo que su mamá y su abuela le tienen que decir, nunca sabrá cómo conseguir sus poderes mágicos. Por fin sale de su habitación y entra en el salón donde su abuela está cosiendo.

—Abuela, perdona por no escucharte y portarme así de mal —susurra María— te prometo que voy a escucharte ¿puedes decirme cómo conseguir mis poderes?

—María —dice su abuela—, no sé si tú vas a poder conseguir tus poderes, se trata de un don muy preciado, pero la única forma de conseguir alcanzarlo es siendo buena persona, eso incluye responsabilidad y control de mal humor, y tú no eres capaz de controlar tu genio y mal humor, además nunca escuchas y si no consigues algo te enfadas y tratas a todo el mundo fatal.

María se pone muy triste porque todo lo que dice su abuela es verdad. Siempre está enfadada, muchas amigas no la tratan bien, se está empezando a quedar sola.

—Abuela —dice María en voz baja—, ayúdame a conseguir mis poderes, para poder dejar de portarme mal con todo el mundo. En el cole me castigan, en casa me castigan y hago llorar a mis amigas y a mi familia. Con los poderes podré mejorar, ser feliz y hacer feliz a todo el mundo.

La abuelita sonríe, abraza a María.

—Eso es, María, en eso consisten tus poderes mágicos. ¿Te has fijado en la cantidad de personas que quieren a tu mamá?

—Sí. —Asiente con la cabeza.

—Pues ese es nuestro don. Somos mujeres bondadosas y cuidamos mucho a los demás —explica la abuela.

Mamá es doctora y yo profesora y muchas personas nos piden ayuda, siempre damos nuestros mejores consejos y nunca hacemos cosas que hieran a los demás. Nuestro poder es que sabemos ser felices y transmitir nuestra felicidad a todos los demás.

—Pero, abuela, yo no soy nada —dijo María moviendo la cabeza—. En clase no soy la más guapa, ni la más simpática, ni la más lista, todos son mejores que yo y siento que todos se burlan de mí, por eso me enfado tanto en clase por eso me enfado tanto en casa y estoy siempre enojada.

La abuela se acerca a María y la abraza.

—María —dice su abuela—, tú eres muy lista, pero te despistas pensando en cómo lo hacen los demás, piensa en cómo lo debes hacer tú, concéntrate en tus tareas y esfuérzate en hacerlo bonito y pide ayuda cuando no puedas hacer las cosas, tu profesor, mamá o yo siempre estamos aquí para ayudar.

Tú eres muy simpática, pero piensas que los demás se burlan de ti y no es así, solo quieren jugar contigo, pero tus amigas te tienen miedo porque te enfadas por todo, tienes que estar más tranquila y disfrutar, a veces os enfadaréis y pronto os reconciliaréis, pero eso son cosas normales que suceden, tanto a niños como adultos y nunca pienses que no eres bonita, las personas no son guapas o feas por fuera, si tú te sientes guapa y te sientes feliz todo el mundo podrá ver tu belleza.

Las personas felices desprenden una luz especial que las hacen ser bellas a los ojos de los demás.

María sonrió a su abuelita y comenzó a llorar. Había pasado tanto tiempo portándose mal porque tenía miedo y sintiéndose insegura, que ahora no sabía muy bien cómo reaccionar. Se había quitado un peso enorme de encima hablando con su abuela y ahora sentía que podía ser mejor persona.

—Estas son las cosas que tienes que hacer para conseguir tu don —explicó la abuela—, estudia y procura sacar buenas notas, eso hará que te sientas bien en clase y que te sientas orgullosa por tu esfuerzo.

»Procura no meterte en líos, disfruta de tus amigos, cuídalos y ellos te cuidarán, sonríe y sé feliz con las cosas que tienes, no envidies lo que tienen los demás porque lo importante es cómo disfrutas tú de lo que tienes, tu familia, tu mascota, tus amigos, tus juguetes, etcétera.

»Escucha a papá y a mamá, ellos siempre te darán buenos consejos, no les grites y dales muchos besos, ellos son las personas que más te quieren en el mundo y nunca te dirán nada para hacerte rabiar, todo lo contrario, siempre hacen las cosas para que tú te conviertas en una gran persona y no te preocupes si a veces te equivocas o te enfadas, porque eso le pasa a todo el mundo, es normal.

María sonrió, se sintió tranquila y poco a poco fue poniendo en práctica todo lo que su abuela le dijo.

Pasó el tiempo, ahora María ya es mayor, ya va a la universidad, estudia para ser doctora, es muy feliz y tiene muchos amigos.

Os preguntaréis qué pasó con sus poderes mágicos, pues bien, el mismo día que su abuela le contó lo que debía hacer, María sintió que los poderes fueron concedidos y todavía hoy se esfuerza por mantenerlos.

María es feliz y transmite su felicidad, su bondad y su amor a todos los que la rodean.

Un secreto te voy a contar, puedes conseguir ese don, ¿te animas a intentarlo?

Despierta ese don, cree en ti.

[JUNTOS SOMOS MEJORES]

{Nadie va a encontrar el éxito rápido
buscando solamente su bienestar}

- -

Un gerente llevó globos a su trabajo y le regaló uno a cada empleado.

Después, ordenó que anotaran sus nombres en su globo, los dejaran en el suelo y abandonaran la sucursal.

Una vez que estuvieron fuera de la tienda les dijo:

—Tienen cinco minutos para que cada uno encuentre el globo que lleva su nombre.

Los empleados entraron y buscaron, pero se terminaron los cinco minutos, y nadie pudo encontrar el suyo.

Luego, el director les dijo:

—Ahora tomen cualquier globo, y entrégueselo al dueño del nombre que lleva anotado.

En apenas un par de minutos, todos los empleados ya tenían el suyo en la mano.

Finalmente, dijo el gerente:

—Equipo, los globos son como los negocios.

Nadie va a encontrar el éxito rápido buscando solamente su bienestar.

En cambio, si cada uno se preocupa por el éxito de su compañero y de su equipo, su negocio alcanzará el éxito antes de lo que se imaginan.

Piensa en el bien colectivo y llegarás más lejos. Juntos somos muchísimo mejores.

[LA LECTURA]

{Nunca dejes de leer, y más si buscas un cambio
en ti para lograr lo que te mereces}

—He leído muchos libros, pero me he olvidado de la mayor parte de ellos. Pero entonces, ¿cuál es el propósito de la lectura?

Esta fue la pregunta que un alumno le hizo una vez a su maestro. El maestro no respondió en ese momento.

Sin embargo, después de unos días, mientras él y el joven alumno estaban sentados cerca de un río, dijo que tenía sed y le pidió al niño que le trajera un poco de agua con un colador viejo y sucio que había en el suelo.

El alumno se sobresaltó, porque sabía que era un pedido sin lógica.

Sin embargo, no pudo contradecir a su maestro y, habiendo tomado el colador, comenzó a realizar esta absurda tarea.

Cada vez que sumergía el colador en el río para traer un poco de agua para llevar a su Maestro, ni siquiera podía dar un paso hacia él, ya que no quedaba ni una gota en el colador.

Lo intentó y lo intentó decenas de veces, pero, por mucho que trató de correr más rápido desde la orilla hasta su maestro, el agua siguió pasando por todos los agujeros del colador y se perdió en el camino.

Agotado, se sentó junto al maestro y dijo:

—No puedo conseguir agua con ese colador. Perdóname, maestro, es imposible y he fallado en mi tarea.

—No —respondió el anciano sonriendo.

—No has fallado. Mira el colador, ahora brilla, está limpio, está como nuevo. El agua, que se filtra por sus agujeros, lo ha limpiado.

—Cuando lees libros prosiguió el viejo maestro eres como un colador y ellos son como agua de río. No importa si no puedes guardar en tu memoria toda el agua que dejan fluir en ti, porque los libros, sin embargo, con sus ideas, emociones, sentimientos,

conocimientos, la verdad que encontrarás entre las páginas, lim-
piarán tu mente y espíritu, y te convertirán en una persona mejor y
renovada. Este es el propósito de la lectura.

[LA NEGRA]

{Cuando habla la ignorancia, la inteligencia
se calla, respira y sonríe}

Un hombre adinerado entró a un bar en Panamá.

Tan pronto como entró, vio una mujer negra, sentada en una esquina. Él se acercó al mostrador, sacó su billetera y gritó:

—¡Camarero!—Voy a comprar bebidas para todos en este bar, excepto para esa mujer negra que está allá.

El camarero recogió el dinero y comenzó a servir tragos gratis para todos en el bar, excepto a la mujer negra.

En lugar de molestarse, la mujer negra simplemente miró al hombre y le dijo:

—Gracias.

Esto enfureció al hombre rico. Así que, nuevamente, sacó su billetera y dijo:

—Camarero. Esta vez voy a comprar botellas de vino y comida adicional para todos en este bar, excepto para la mujer sentada en la esquina de allá.

El camarero recogió el dinero del hombre y comenzó a servir comida y vino gratis para todos en el bar, excepto a la mujer negra.

Cuando el camarero terminó de servir la comida y las bebidas, la mujer negra, simplemente miró al hombre, sonrió y le dijo:

—Gracias.

Eso lo enfureció más.

Así que se acercó al mostrador y le preguntó al camarero:

—¿Qué pasa con esa mujer negra?

—He comprado comida y bebidas para todos en este bar, excepto para ella, y en vez de estar enojada solo se sienta allí, me sonríe y me dice «Gracias». ¿Ella está loca?

El camarero le sonrió al hombre rico y le dijo:

—No, ella no está loca. Ella es la dueña de este establecimiento. Deja que nuestros enemigos trabajen sin saberlo en nuestro favor. No permitas que nadie te humille, ni te menosprecie.

Siempre sonríe a la vida, la felicidad nadie te la puede comprar. Cuando habla la ignorancia, la inteligencia se calla, respira y sonríe. Quien odia a alguien, se odia así mismo.

[EL REMEDIO]

{Nada es para siempre, aunque a veces
parezca que dura eternamente}

Existía un rey con mucho poder que sufría de ánimo inestable: pasaba de la alegría a la tristeza y viceversa, con extrema facilidad.

Ello provocaba en él gran pesar interno y mínima capacidad de disfrute y de percepción de los hechos que vivía su reinado, que reclamaba su decisión firme.

Desalentado pidió a sus asesores alguna ayuda para superar su dolencia.

Los dóciles sabios se reunieron para resolver el problema. Después de unas semanas, ofrecieron su medicina:

—Señor, traemos solución a su mal. En esta cajita está el secreto de tu salud mental. Cuando estés perturbado por la tristeza o la alegría excesiva, lee el mensaje que guarda esta cajita mágica.

El rey agradeció a sus consejeros y escondió el pequeño recipiente con gran alegría. Pero no había transcurrido una hora y ya estaba nuevamente sumido en el desánimo y la depresión.

Buscó la cajita salvadora y sacó su precioso mensaje. Eran dos palabritas:

«Ya pasará».

¿Interesante, verdad?

Nada es para siempre aunque a veces parezca que dura eternamente.

Todo pasa y sí lo aceptamos a medida que pasa el tiempo vemos que es para bien.

[SOMOS RICOS]

{Y tú, ¿has visto la riqueza que tienes a tu alrededor?}

Cierta vez un acaudalado padre de familia llevó a su hijo a un viaje por el campo, con el firme propósito de que este viera cuán pobres eran ciertas personas y comprendiera el valor de las cosas y lo afortunados que eran ellos.

Estuvieron un día y una noche en la granja de una familia campesina muy humilde. Al concluir el viaje, ya de regreso en casa, le preguntó a su hijo:

—¿Qué te pareció el viaje?

—¡Muy bonito, papá!

—¿Viste qué tan pobre y necesitada puede ser la gente?

—Sí.

—¿Y qué aprendiste?

—Vi que nosotros tenemos un perro en casa, ellos tienen cuatro. Nosotros tenemos una piscina de veinticinco metros, ellos un riachuelo sin fin.

—Nosotros tenemos lámparas importadas en el patio, ellos tienen las estrellas. Nuestro patio llega hasta el muro de la casa, el de ellos hasta el horizonte.

Especialmente, papá vi que ellos tienen tiempo para conversar y convivir en familia, tú y mi mamá deben trabajar todo el tiempo y casi nunca os veo.

El padre se quedó mudo y el niño agregó:

—Gracias, papá, por enseñarme lo ricos que podríamos llegar a ser Y tú, ¿has visto la riqueza que tienes a tu alrededor?

Si no estás feliz con lo que tienes, es difícil que puedas lograr más. No es conformarse, es aceptar y luchar para lograr lo que mereces.

[NO TE METAS EN MI VIDA]

{Hijo, yo no me meto en tu vida, tú te has metido en la mía}

En cierta ocasión escuché a un joven gritarle a su padre:

—¡No te metas en mi vida!

Esta frase caló hondamente en mí, tanto que frecuentemente la recuerdo. He pensado en varias respuestas y me he quedado con estas:

¡Hijo, un momento! ¡No soy yo el que me meto en tu vida, tú te has metido en la mía!

Hace muchos años, gracias al amor que mamá y yo nos tenemos, llegaste a nuestras vidas y ocupaste todo nuestro tiempo.

Aun antes de nacer, mamá se sentía mal, no podía comer, todo lo que comía lo devolvía, y tenía que guardar reposo.

Yo tuve que repartirme entre las tareas de mi trabajo y las de la casa para ayudarla.

Los últimos meses, antes de que llegaras a casa, mamá no dormía y no me dejaba dormir.

Los gastos aumentaron increíblemente, tanto que gran parte de lo nuestro se gastaba en ti: en un buen médico que atendiera a mamá y la ayudara a llevar un embarazo saludable, en medicamentos, en la maternidad, en comprarte todo un guardarropa…

Mamá no veía algo de bebé que no lo quisiera para ti: una cuna, un pijama, todo lo que se pudiera, con tal de que tú estuvieras y tuvieras lo mejor posible.

¿No te metas en mi vida?

Llegó el día en que naciste:

—Hay que comprar algo para darles de recuerdo a los que te vinieran a conocer —dijo mamá—. Hay que adaptar un cuarto para el bebé. Desde la primera noche no dormimos.

Cada tres horas, como si fueras una alarma de reloj, nos despertabas para que te diéramos de comer, otras te sentías mal y llorabas y llorabas, sin que nosotros supiéramos qué hacer, pues no sabíamos qué te sucedía y hasta llorábamos contigo.

¿No te metas en mi vida?

Empezaste a caminar, yo no sé cuándo he tenido que estar más detrás de ti, si cuando empezaste a caminar o cuando creíste que ya sabías.

Ya no podía sentarme tranquilo a leer el periódico o a ver el partido de mi equipo favorito, porque estaba pendiente de ti. Te perdías de mi vista y tenía que salir tras de ti para evitar que te lastimaras.

¿No te metas en mi vida?

Todavía recuerdo el primer día de clases, cuando tuve que llamar al trabajo y decir que no podría ir, ya que tú en la puerta del colegio no querías soltarme y entrar.

Llorabas y me pedías que no me fuera. Tuve que entrar contigo a la escuela, pedirle a la maestra que me dejara estar a tu lado un rato, ese día, en el salón, para que fueras tomando confianza.

A las pocas semanas no solo ya no me pedías que no me fuera, hasta te olvidabas de despedirte cuando bajabas del auto corriendo, para encontrarte con tus amiguitos.

¿No te metas en mi vida?

Seguiste creciendo, ya no querías que te lleváramos a tus reuniones, nos pedías que una calle antes te dejáramos y pasáramos por ti una calle después, porque ya eres *cool*.

No querías llegar temprano a casa, te molestabas si te marcábamos reglas, no podíamos hacer comentarios acerca de tus amigos sin que te volvieras contra nosotros, como si los conocieras a ellos de toda la vida y nosotros fuéramos unos perfectos «desconocidos» para ti.

¿No te metas en mi vida?

Cada vez sé menos de ti por ti mismo, sé más por lo que oigo de los demás. Ya casi no quieres hablar conmigo, dices que solo te regaño y todo lo que yo hago está mal, o es razón para que te burles de mí.

Pregunto, ¿con esos defectos te he podido dar lo que hasta ahora tienes?

Mamá se pasa la noche en vela y de pasada no me deja dormir a mí diciéndome que no has llegado y que es de madrugada, que tu teléfono está desconectado, que ya son las 3:00 y no llegas. Hasta que por fin podemos dormir cuando acabas de llegar.

¿No te metas en mi vida?

Ya casi no hablamos, no me cuentas tus cosas, te aburre hablar con viejos que no entienden el mundo de hoy.

Ahora solo me buscas cuando hay que pagar algo o necesitas dinero para la universidad, o salir; o peor aún, te busco yo, cuando tengo que llamarte la atención…

¿No te metas en mi vida?

Pero estoy seguro que ante estas palabras, «no te metas en mi vida», podemos responder juntos.

Hijo, yo no me meto en tu vida, tú te has metido en la mía, y te aseguro que, desde el primer día, hasta el día de hoy, ¡no me arrepiento que te hayas metido en ella y la hayas cambiado para siempre!

Mientras esté vivo, ¡me meteré en tu vida, así como tú te metiste en la mía, para ayudarte, para formarte, para amarte y para hacer de ti un hombre de bien!

¡Solo los padres que saben meterse en la vida de sus hijos logran hacer de estos, hombres y mujeres que triunfen en la vida y sean capaces de amar!

Papás, ¡muchas gracias por meterse en la vida de sus hijos!

¡Ah! Más bien —corrijo—, ¡por haber dejado que sus hijos se metan en sus vidas! Y para ustedes, hijos, valoren a sus padres, no son perfectos, pero los aman y lo único que desean es que ustedes sean capaces de salir adelante en la vida y ¡triunfar como seres de bien…!

La vida da muchas vueltas, y en menos de lo que ustedes se imaginen alguien les dirá…

«¡No te metas en mi vida!».

El cuento cambia mucho cuando eres padre o madre, ¿verdad?

[EL CÍRCULO DEL ODIO]

{Si alguien viene a ti quejándose, o con mucha
rabia, rompe ese círculo no permitas que su mal
momento o su circunstancia te afecten}

Un importante empresario estaba enojado y regañó al director de uno de sus negocios.

El director llegó a su casa y gritó a su esposa, acusándola de que estaba gastando demasiado porque había un abundante almuerzo en la mesa.

La señora gritó a la empleada, que rompió un plato y le dio un puntapié al perro porque la hizo tropezar.

El animal salió corriendo y mordió a una señora que pasaba por allí.

Cuando ella fue a la farmacia para curar la herida, gritó al farmacéutico porque le dolió la aplicación de la vacuna antirrábica.

Este hombre llegó a su casa y le gritó a su madre porque la comida no era de su agrado.

La señora, manantial de amor y perdón, le acarició la cabeza mientras le decía:

«Hijo querido, te prometo que mañana haré tu comida favorita».

Trabajas mucho, estás cansado y hoy precisas una buena noche de sueño. Voy a cambiar las sábanas de tu cama por otras bien limpias y perfumadas para que puedas descansar en paz. Mañana te sentirás mejor».

Lo bendijo y abandonó la habitación, dejándolo solo con sus pensamientos.

En ese momento se interrumpió el círculo del odio, al chocar con la tolerancia, la dulzura, el perdón y el amor.

Si alguien viene a ti quejándose o con mucha rabia, rompe ese círculo y no permitas que su mal momento o su circunstancia te afecten.

QUEJA

[A TI MUJER]

{Disfruta de ti, de tu compañía, de tu soledad, de tus amistades}

No tienes que darte cuenta de todo, no tienes que ser supermadre, superesposa, súper ama de casa, superprofesional, supermujer.

Un día tu cuerpo necesitará un arreglo y no todos recordarán que trataste de ser todo en una sola.

Así que deja la casa para después, ve a caminar, ve al parque, comienza el gimnasio, cómprate lo que quieras, ve al salón, duerme hasta tarde, ponte la ropa que te gusta, sé tú, cuídate, ámate, ¡y hazlo exclusivamente por ti!

Los hijos crecen, el empleo encuentra reemplazo rápido, la pareja puede cambiar, la casa se va a ensuciar de nuevo, pero tú…

¿Sabes?

Pero tú, mujer, puede ser que no tengas una segunda oportunidad. Disfruta de ti, de tu compañía, de tu soledad, de tus amistades.

Pero sobre todo disfruta de tu vida. A ti mujer.

[¿LO SABÍAS?]

{Siempre estás en el lugar correcto, a la hora exacta}

Después del 11 de septiembre una empresa que tenía sus oficinas en el **World Trade Center** invitó a sus ejecutivos y empleados que por alguna razón habían sobrevivido al ataque, para compartir sus experiencias.

La gente estaba viva por pequeños detalles como estos:

Al director de una compañía se le hizo tarde porque era el primer día de clase de su hijo.

Una mujer se retrasó porque su despertador no sonó.

Otra persona no llegó porque quedó atrapado en caravana con su coche. Un hombre llegó tarde al perder su autobús.

Alguien se tiró comida encima y se cambió de ropa. Otro no consiguió un taxi.

Pero la historia que más impresionó fue la de un hombre que estrenaba zapatos y, como le hacían daño, fue a una farmacia por haberle salido una ampolla.

Ahora, cuando estoy en caravana, pierdo el taxi, el autobús u otras cosas que me desesperan, pienso: «Este es el lugar exacto donde debes estar en este momento».

Moraleja: La próxima vez que tu mañana parezca una locura, los niños tarden en vestirse, no encuentres las llaves, etc., no te enojes ni te frustres; estás en el lugar correcto, a la hora exacta.

Todo sucede cuando tiene que suceder, así de sencillo, así de fácil, pero a veces nos cuesta mucho verlo, ¿verdad?

[EL PODER DE LA PALABRA]

{Las palabras tienen mucha fuerza}

La profesora de literatura pidió a sus alumnos que hicieran una lista con el nombre de todos sus compañeros de clase y que dejaran un hueco entre cada nombre.

Luego les pidió que dijeran algo bueno de ese compañero.

Ese fin de semana la profesora cogió varios folios, en cada folio puso el nombre de cada alumno y, debajo de su nombre, puso todas las cosas buenas que de él habían dicho sus compañeros.

El lunes entregó la hoja a cada alumno, pero les dijo que la abriesen en su casa, no en clase.

Esa hoja jamás se comentó en clase, pero algo especial pasó, puesto que los comentarios de todos al día siguiente eran:

Yo no sabía que me querían tanto.

Yo no sabía que me apreciaban tanto.

No sabía que realmente ellos pensaran que fuera tan especial. Años más tarde, Mark murió en la guerra de Vietnam.

Toda su gente, sus compañeros de clase y la profesora de literatura acudieron al funeral.

En el funeral el padre de Mark se acercó a la profesora y le dijo:

—Quisiera enseñarle algo. —Sacó una billetera de su bolsillo—. La tenía Mark cuando le mataron.

Abrió la billetera y sacó un papel doblado con mucho cuidado.

Se notaba que el papel estaba desgastado y había sido muy usado. La profesora cogió el papel y lo abrió.

Era el papel donde los compañeros habían puesto las cualidades que de él sentían.

Su padre le dijo:

—Creo que para Mark este papel era muy importante. Muchas gracias por lo que hizo.

La profesora también se enteró de que los compañeros de Mark estaban superagradecidos por ese papel.

El poder de la palabra. Las palabras tienen mucha fuerza.

Procura que todas tus palabras tengan la fuerza del positivismo, la fuerza de hacer el bien, la fuerza de ayudar y que tus palabras jamás derrumben ni derroten a nadie.

[¿QUIÉN DOBLÓ TU PARACAÍDAS?]

{Las cosas más importantes de la vida solo
requieren de acciones sencillas}

Carlos era piloto de un bombardero en la guerra. Después de muchas misiones de combate, su avión fue derribado por un misil.

Carlos se lanzó en paracaídas, fue capturado y fue a prisión.

A su regreso, daba conferencias relatando su odisea y lo que aprendió en la prisión.

Un día estaba en un restaurante y un hombre lo saludó. Le dijo:

—Hola, usted es Carlos, es el piloto que derribaron, ¿verdad?

—Y usted, ¿cómo sabe eso? —le preguntó Carlos.

—Porque yo doblaba su paracaídas. Parece que le funcionó bien. Carlos casi se ahogó de sorpresa y con mucha gratitud le respondió:

—Claro que funcionó, si no hubiera funcionado, hoy yo no estaría aquí.

Estando solo Carlos no pudo dormir esa noche, meditando se preguntaba, ¿cuántas veces vi, en la base a ese hombre? y nunca le dije, buenos días… Yo era un arrogante piloto y él era un humilde marinero.

Pensó también en las horas que ese marinero paso en las entrañas del hangar, enrollando los hilos de seda de cada paracaídas, teniendo en sus manos la vida de alguien que no conocía.

Ahora, Carlos comienza sus conferencias preguntándole a su audiencia:

—¿Quién dobló hoy tu paracaídas?

Todos tenemos a alguien cuyo trabajo es importante para que nosotros podamos prosperar.

Uno necesita muchos paracaídas al día: uno físico, uno emocional, uno mental y hasta uno espiritual.

A veces, en los desafíos que la vida nos lanza a diario, perdemos de vista lo que es verdaderamente importante y las personas que nos salvan en el momento oportuno sin que se lo pidamos.

Dejamos de saludar, de dar las gracias, de felicitar a alguien o, aunque sea, de decir algo amable solo porque sí.

Hoy, esta semana, este año, cada día, trata de darte cuenta quién dobla tu paracaídas y agradécele.

A veces las cosas más importantes de la vida solo requieren de acciones sencillas:

Solo una llamada, una sonrisa, un gracias, un te quiero y ¿por qué no?… un te amo.

¿Quién dobló tu paracaídas?

[SERVÍ COMO CAMARERO]

{Todos podemos hacer un mundo mucho mejor}

Serví como camarero más de treinta años.

Aprendí mucho; sobre todo que hay dos clases de personas:

1. los que pasan el plato al camarero y…
2. los que no pasan el plato al camarero.

Los primeros se dan cuenta de que existes, que estás ahí e, incluso por norma, te dan las gracias, reconociendo nuestro trabajo.

Ese gesto no cuesta nada, pero es muy grato e importante recibirlo.

Esta gente son personas humildes, reconocen tu trabajo, no tratan al camarero como si fuera su criado.

Es un gesto que me hacía muy feliz. Y siempre me sentí con suerte de atender a esas personas, que además solían estar siempre alegres y disfrutando.

He tenido la suerte de atender a todo tipo de personas, famosos, artistas, gente de la realeza, músicos, escritores, personajes de la televisión y la mayoría de ellos, por mucho poder y riqueza que tuvieran, siempre me pasaban el plato y me daban las gracias.

Luego había unos pocos que no me pasaban el plato.

¿A dónde quiero llegar?

Puede que logres el éxito, que alcances esa cima que deseas, pero, por favor…, sigue siendo la persona que le pasa el plato al camarero.

Todos podemos hacer un mundo mucho mejor.

Mi apoyo eterno a los camareros y a todos esos grandes trabajadores de la hostelería.

[NO ME DEJES LLORAR, MAMÁ]

{Quien bien te quiere, te hará siempre feliz}

No me dejes llorar, mamá. No se me agrandarán los pulmones, no me haré más fuerte, no me haré más sabio.

No me dejes llorar, mamá. No escuches esos comentarios, tus besos no me malcriarán, tu pecho no me hará dependiente, no lo hago para molestar.

No me dejes llorar, mamá. Solo puedo confiar en ti, solo conozco tu voz, tu olor, solo pienso en ti desde que salí de tu vientre.

No me dejes llorar, mamá. No me enseñes a consolarme solo, no lo necesito, porque sé que siempre podré contar contigo.

No los escuches. No me malcrías cuando atiendes mi llanto.

No te pido consuelo en la noche para molestar, te busco porque te necesito, porque no entiendo este mundo en que vivimos, porque recién estoy aprendiendo a amar.

No me enseñes de tan pequeño a llorar, a sufrir, a sentir soledad. Lo voy a aprender, te lo prometo.

Un día sufriré de verdad y mi llanto no será para que me tomes en brazos, o para que me des el pecho, un día mi llanto será de adulto y no lo podrás consolar.

Ese día quiero recordar días más sencillos, días en los que mis padres me besaban y solo con eso dejaba de llorar.

Esos días no vuelven y si nunca los tuve, no tendré qué recordar. No me dejes llorar, mamá.

A mí de pequeño me decían una frase que se ancló en mi mente: **«Quien bien te quiere te hará llorar»**. Es totalmente **falsa**, quien bien te quiere te hará reír, ser feliz, te cuidará siempre, evitará en todo lo que pueda tu sufrimiento.

Y esto no es solo para bebés o hijos, es para tu familia, para tu pareja, para tus amigos.

[Quien bien te quiere te hará siempre feliz.]

[ATA TU CAMELLO]

{Haz que las cosas sucedan}

Un discípulo llegó a lomos de su camello ante la tienda de su maestro. Desmontó, entró en la tienda, hizo una profunda reverencia y dijo:

—Tengo tan gran confianza en Dios, que he dejado suelto a mi camello ahí afuera, porque estoy convencido de que Dios protege los intereses de los que le aman.

—¡Pues sal fuera y ata tu camello, estúpido! —le dijo el maestro.

—Dios no puede ocuparse de hacer en tu lugar lo que eres perfectamente capaz de hacer por ti mismo. Llámalo Dios, universo, Buda, destino, Mahoma, en lo que tú creas, puedes pedir, pero tú tienes que hacer para que las cosas sucedan.

Tienes que trabajar duro por lo que deseas, pero si lo haces, te sentirás genial contigo mismo.

[LA CASA DE PAPÁ Y MAMÁ]

{Descubrid el valor de estas casas antes
de que sea demasiado tarde}

Es la única casa a la que puedes ir en cualquier momento, sin invitación.

La única casa donde puedes poner la llave en la puerta y entrar directamente.

La casa que tiene ojos amorosos que miran directamente a la puerta hasta que te ven.

La casa que recuerda tus días sin preocupaciones y la felicidad de tu infancia.

El hogar donde tu presencia y la mirada en los rostros de tu madre y padre es una bendición para ti, y tu conversación con ellos es una recompensa.

La casa a la que, si no vas, el corazón de sus dueños se encoge.

La casa en la que dos velas se encendieron para iluminar el mundo y llenar tu vida de felicidad y alegría.

El hogar donde la cena es para ti y no tiene hipocresía.

La casa en la que, si toca comer y no comes, el corazón de sus dueños se romperá y se pondrá triste.

El hogar que te da todas las risas y felicidad.

¡¡¡OH, MIS JÓVENES AMIGOS!!!

Descubrid el valor de estas casas antes de que sea demasiado tarde… Afortunados tienen aquellos que todavía tienen a sus padres en casa donde ir.

[EL CUENTO DENTRO DEL CUENTO]
{No habrá mañanas}

- -

Hacía meses que vivía asustado por terribles pensamientos de aniquilación que lo atormentaban… sobre todo en las noches.

Se acostaba temiendo no ver el amanecer del día siguiente y no conseguía dormirse hasta que el sol despuntaba, a veces apenas una hora antes de tener que levantarse para ir a su trabajo.

Cuando supo que el Iluminado pasaría la noche en las afueras del pueblo, se dio cuenta de que tenía en sus manos una oportunidad única, ya que no era frecuente que los viajeros pasaran, ni siquiera cerca, de este poblado perdido entre las montañas de **Caldea**.

La fama precedía al misterioso visitante, y aunque nadie lo había visto, se decía que el maestro tenía las respuestas a todas las preguntas.

Por eso, esa madrugada, sin que ninguno de su casa lo notara, lo fue a ver a la tienda que, le habían avisado, había armado junto al río.

Cuando llegó, el sol recién había terminado de separarse del horizonte. Encontró al Iluminado meditando y esperó respetuosamente unos minutos hasta que el maestro notó su presencia.

En ese momento, y como si lo estuviera esperando, giró hacia él y con una plácida expresión, lo miró a los ojos en silencio.

—Maestro, ayúdame —dijo el hombre—. Pensamientos terribles asaltan mis noches y no tengo paz ni ánimo para descansar y disfrutar de las cosas que vivo. Dicen que tú lo resuelves todo. Ayúdame a escapar de esta angustia…

El maestro sonrió y le dijo: «Te contaré un cuento». Un hombre rico mandó a su criado al mercado en busca de alimentos. Pero, a poco de llegar allí, se cruzó con la muerte que lo miró fijamente a los ojos.

El criado empalideció del susto y salió corriendo dejando tras de sí las compras y la mula. Jadeando, llegó a casa de su amo:

—¡Amo, Amo! Por favor, necesito un caballo y algo de dinero para salir ya mismo de la ciudad… ¡Si salgo ya mismo quizás llegue a Tamur antes del anochecer…! ¡Por favor, amo, por favor…!

El señor le preguntó sobre el motivo de tan urgente pedido, y el criado le contó a borbotones su encuentro con la muerte.

El dueño de casa pensó un instante y alargándole una bolsa de monedas le dijo:

—Bien, sea. Vete. Llévate el caballo negro, que es el más veloz que tengo.

—Gracias, amo —dijo el sirviente y, tras besarle las manos, corrió al establo, montó el caballo y partió velozmente hacia la ciudad de Tamur.

Cuando el sirviente se hubo perdido de vista, el acaudalado hombre caminó hacia el mercado buscando a la muerte.

—¿Por qué asustaste a mi sirviente? —le preguntó en cuanto la vio.

—¿Asustarlo yo? —preguntó la muerte.

—Sí —dijo el hombre rico—. Él me dijo que hoy se cruzó contigo y lo miraste amenazante.

—Yo no lo miré amenazante dijo la muerte lo miré sorprendida. ¡No esperaba verlo aquí esta tarde, porque se supone que tengo que recogerlo en Tamur esta noche!

—¿Entiendes? —preguntó.

Claro que entiendo, maestro, intentar escapar de los malos pensamientos es salir a buscarlos. Huir de la muerte es ir a su encuentro.

—Así es. Tengo tanto que agradecerte, maestro… —dijo el hombre—. Siento que desde esta misma noche dormiré tan tranquilo recordando este cuento, que me levantaré sereno cada mañana…

—Desde esta noche… —interrumpió el anciano—, no habrá más mañanas.

—No entiendo —dijo el hombre.

—Entonces…, no entendiste el cuento.

El hombre, sorprendido, miró al Iluminado y vio que la expresión de su cara, ya no era la misma.

[MARÍA Y ANTONIO]

{Si nunca haces la pregunta,
la respuesta siempre será un NO}

Era muy listo, tenía mucha cultura. Era fuerte, pero Antonio, en el fondo, no sabía muy bien lo que quería de la vida.

No se relacionaba mucho con la gente. Vivía bien, pero también se encontraba solo, aunque bien es cierto que él se pensaba que lo sabía todo y creía que no necesitaba a nadie.

Un día se despertó, se sintió aburrido y solo y decidió comprar un libro.

Fue a la librería del pueblo. Entró y detrás del mostrador había una chica, la placa de su nombre decía María.

De repente, Antonio siente algo raro en sí. Pero dice no, no puede ser. Yo lo sé todo y no necesito emociones de estas.

Se dirige al mostrador, pero María le mira a los ojos. Una mirada diferente, esa mirada que te traspasa y te llega a un lugar muy dentro.

Antonio siente algo otra vez y, para evitar ese sentimiento, le dice «quiero ese libro», sin mirar siquiera el título.

María le mira con esa magia que tenemos la humanidad, qué solo las personas poseen y que es sonreír.

María le vuelve a mirar, le sonríe y le envuelve el libro.

Él paga, se da media vuelta, se va… Pero se lleva dentro de él mucho más que un libro.

Y se dice para sí… Uyyyy.

¿Recuerdas tu haber sentido ese uyyyy en tu vida? Seguro que sí, qué mágico y bello es.

Se va a casa y se pasa toda la semana pensando en María. «Yo lo sé todo, esto no puede ser», se dice Antonio.

Pero también le invade un miedo, ese miedo de fallar, ese miedo de no ser correspondido. Ese miedo del qué dirán.

Pasada la semana, Antonio vuelve a la librería. Se pone detrás del escaparate mirando, como a escondidas. Entra en la tienda y solo hace dar vueltas entre libros, mientras María atiende a los clientes.

Antonio abre libros y ni se fija en ellos. Casi al cerrar se acerca a María y le dice:

—Me llevo este libro.

María le mira a los ojos y… sonríe. No dicen nada más.

Al día siguiente Antonio no espera una semana y va a la librería.

Se esconde entre libros, espera casi al cierre:

—Me llevo este libro.

María lo mira a los ojos y… sonríe.

Un día más, una semana más, un mes más, un año… Nunca se dicen más. Un día Antonio se dice hoy va a ser el día… Hoy hablaré con María.

Llega a la librería, coge un libro, se queda mirando. María no está. Pero yo soy Antonio y hoy voy a hablar con María.

Se dirige al dueño y le dice:

—¿Dónde está María? ¿Su mejor empleada, con la mejor sonrisa y una gran mirada?

—María está enferma y se quedó en casa —le contestó el dueño de la librería.

—Yo quiero hablar con ella, ¿me podría dar su número?

—No estamos autorizados.

—Vale, le voy a dejar una tarjeta mía, ¿Se la puede entregar?

—Sí, por supuesto.

—Por favor, dígale que es muy importante. Necesito a hablar con ella.

De camino a casa pensaba en todo ese año, en cómo María le entregaba un libro envuelto con mucho cariño.

Una semana después María, ya mejorada, llega a la tienda.

El dueño le dice:

—Mira, María, ha estado aquí Antonio, te ha dejado una tarjeta, que quería hablar contigo.

—¿Me deja, por favor, el día libre o un rato para poder llamarle? Por favor, es muy importante para mí, hace un año que quiero hablar con Antonio.

—Sí, por supuesto, vete.

Coge el teléfono, marca el número, alguien contesta, una voz de mujer. Su tono de voz era muy triste.

—Hola, soy María, de la librería donde viene Antonio todos los días desde hace un año. Me ha dejado una tarjeta y quiero mucho hablar con él. ¿Se puede poner?

La señora empieza a llorar, no puede para de llorar, al poco dice llorando:

—Antonio era mi hijo, tenía una grave enfermedad y ya no está con nosotros.

María, con la voz entrecortada, le dice que no lo sabía.

—Nos veíamos todos los días, pero nunca hablábamos. ¿La puedo conocer, por favor?

—Sí, claro, ven.

En la tarjeta estaba la dirección y en el camino ella pensó en ese año, en que todos los días quería hablar con él, pero pensaba que igual no era correcto, y si le daba una mala respuesta, se dio cuenta que no luchó por lo que quería.

Llegó a la casa, habló con la madre y tomaron un té. La madre le dijo:

—Hay algo que hacía Antonio todos estos días y que no entiendo. ¿Te lo puedo enseñar?

—Sí, sí.

Suben unas escaleras, abren la puerta de la habitación de Antonio.

Encima de una mesa había una montaña de libros, ni siquiera abiertos. Envueltos.

La madre le enseña todos esos libros, nunca los ha abierto.

María empieza a llorar. Se acerca a la mesa y coge un libro. Con cuidado quita el embalaje.

Lo abre por la primera página y una tarjeta cae al suelo. En esa tarjeta estaba escrito:

—Hola, soy María, me gustaría hablar contigo, ¿me puedes llamar?

Si nunca haces la pregunta, la respuesta siempre será NO.

Si quieres algo, si deseas algo, dilo, no des las cosas por sabidas. No permitas que tu tarjeta nunca sea leída.

Lucha, no te rindas.

[EL CUENCO DE MADERA]

{A todos nos va a llegar ese momento de no
poder valernos por nosotros mismos}

- -

El viejo se fue a vivir con su hijo, su nuera y su nieto de cuatro años. Ya las manos le temblaban, su vista se nublaba y sus pasos flaqueaban.

La familia completa comía junta en la mesa, pero las manos temblorosas y la vista enferma del anciano hacían el alimentarse un asunto difícil.

Los guisantes caían de su cuchara al suelo y, cuando intentaba tomar el vaso, derramaba la leche sobre el mantel.

El hijo y su esposa se cansaron de la situación.

—Tenemos que hacer algo con el abuelo —dijo el hijo—. Ya he tenido suficiente.

—Derrama la leche hace ruido al comer y tira la comida al suelo.

Así fue como el matrimonio decidió poner una pequeña mesa en una esquina del comedor.

Ahí el abuelo comía solo, mientras el resto de la familia disfrutaba la hora de comer. Como el abuelo había roto uno o dos platos su comida se la servían en un plato de madera.

De vez en cuando miraban hacia donde estaba el abuelo y podían ver una lágrima en sus ojos mientras estaba ahí sentado solo.

Sin embargo, las únicas palabras que la pareja le dirigía, eran frías llamadas de atención cada vez que dejaba caer el tenedor o la comida, mientras el niño de cuatro años observaba todo en silencio.

Una tarde, antes de la cena, el papá observó que su hijo estaba jugando con trozos de madera en el suelo. Le pregunto dulcemente:

—¿Qué estás haciendo?

Con la misma dulzura el niño le contestó:

—Ah, estoy haciendo un tazón para ti y otro para mamá para que cuando yo crezca, ustedes coman en ellos. Sonrió y siguió con su tarea.

Las palabras del pequeño golpearon a sus padres de tal forma que quedaron sin habla.

Las lágrimas rodaban por sus mejillas.

Y, aunque ninguna palabra se dijo al respecto, ambos sabían lo que tenían que hacer.

Esa tarde el esposo tomo gentilmente la mano del abuelo y lo guio de vuelta a la mesa de la familia.

Por el resto de sus días ocupo un lugar en la mesa con ellos. Y por alguna razón, ni el esposo ni la esposa parecían molestarse más, cada vez que el tenedor se caía, la leche se derramaba o se ensuciaba el mantel.

¿Por qué olvidamos tan fácil que mañana podemos estar en la misma situación que ahora tanto nos molesta?

A todos nos va a llegar ese momento de no poder valernos por nosotros mismos.

Debemos de cuidar de que los mayores estén lo mejor atendidos posibles y luchar porque nosotros lo estemos cuando nos llegue el momento.

[NADA VA A MARCAR
LA DIFERENCIA]

{Debemos ser antorchas que con nuestra luz ayudemos
al de al lado a que tenga su propia luz}

Estaba orgullosa de su hijo **Bryan**, acaba de cumplir quince años, era ya un hombrecito, aunque para ella siempre sería su bebé. Así todo se dijo para sí misma: «¡Cómo pasa el tiempo!».

Se levantó un poco temprano para prepararle un desayuno especial.

Lo despertó como siempre, con un beso en la frente, luego le hizo un bocadillo para que lo tomara en el recreo en el instituto, y un día más, juntos, fueron andando hasta clase.

Ya cerca del colegio Bryan se quedó mirando a un hombre de unos sesenta años. Estaba de pie, apoyado en una valla.

Sus ropas estaban sucias y la cabeza baja con los ojos cerrados, en una mano sostenía una gorra y dentro de ella había dos monedas.

La otra mano, pegada a su pecho, tenía un cartel que decía: «Dinero o comida, lo que sea, necesito ayuda».

El joven le dijo a su madre:

—¿Puedo darle mi bocadillo, mamá?

—Pero, hijo, que tú le des tu bocadillo eso no va a marcar la diferencia. Tú necesitas comer.

—Pero, mamá, hoy es mi cumple y luego va a haber una comida especial en casa, y merienda y comida de sobra con los amigos. No pasa nada porque hoy no tome el almuerzo. ¿Puedo darle mi bocadillo, por favor?

—Vale, de acuerdo —dijo la madre—, pero no va a marcar la diferencia.

Bryan se acercó al hombre y le dijo:

—Hola, aquí tiene este bocadillo, mi mamá lo hizo, así que seguro está delicioso.

Acto seguido se lo puso en la mano.

El hombre levantó la vista poco a poco, miró a **Bryan** y lentamente miró su mano con el bocadillo.

—Oh, Dios mío —dijo empezando a llorar.

Con la respiración entrecortada y lágrimas deslizándose por sus mejillas, susurró mirando al chico:

—Estoy muy hambriento, ahora mismo estaba rezando a Dios por algo que pudiera comer y cuando abro mis ojos, te veo a ti, aquí, de pie, dándome tu comida, mi ángel. No te puedes hacer una idea. Tú acabas de marcar una gran diferencia para mí. Muchísimas gracias.

El hombre no podía parar de llorar. **Bryan** se giró hacia su madre, ella también estaba llorando, se acercó a su hijo, le abrazó, y juntos siguieron su camino hacia el instituto.

Nosotros debemos ser antorchas que con nuestra luz ayudemos al de al lado a que tenga su propia luz.

Podemos ayudar y siempre marcar la diferencia con todos los que nos rodean.

[EL CURA Y EL NIÑO]

{Cuando tú estás bien el mundo está bien}

Un buen día dejaron a un cura el cuidado de un niño durante una tarde; era un niño revoltoso como él solo.

Después de un par de horas, el cura estaba desesperado porque el niño no paraba un instante y se acercaba la hora del sermón.

Tenía que hacer algo para que estuviese entretenido, y mientras hojeaba una revista se le ocurrió una gran idea: arrancó una hoja de la revista en la que aparecía un mapamundi, la hizo añicos con cuidado y entregó los papelitos al niño diciendo:

—Aquí tienes un rompecabezas, es el mapa del mundo, a ver sí para cuando termine el sermón lo tienes montado.

El cura fue a cambiarse convencido de que el pequeño tendría para unas horas, si es que alguna vez llegaba a terminar el puzle.

El niño miró los trozos de lo que parecía una misión imposible: «arreglar el mundo».

Como los niños son curiosos, se fijó en el reverso de uno de los trozos y vio que era la cara de una persona. Entonces dio la vuelta a todos los trozos.

Cogió una hoja y sobre ella comenzó a ensamblar aquel rostro desconocido.

Cinco minutos más tarde, la cara estaba perfectamente montada, así que puso otra hoja encima del rostro y le dio la vuelta.

En ese momento el cura regresó ya preparado para ir a dar su sermón; tan solo habían pasado cinco minutos cuando el niño orgulloso le mostró el mapamundi recompuesto.

El párroco, sorprendido, no daba crédito a sus ojos y le preguntó:

—Pero ¿cómo lo has hecho? ¿Cómo has arreglado el mundo? A lo que el ingenioso niño respondió:

—No, yo no he arreglado el mundo, eso era muy difícil, pero vi que detrás había una persona y cuando la persona estuvo bien, el mundo también lo estuvo.

Ese fue el sermón que dio el cura aquel día:

Cuando tú estás bien el mundo está bien, cuando tú estás bien el mundo parece estar mejor, por eso tienes que invertir en ti, para crecer, aprender y comprender. Porque cuando te sientes bien emocionalmente, te sientes fuerte, con la capacidad para pasar a la acción.

Te sientes más seguro ante las situaciones a las cuales has de enfrentarte y más optimista de cara al futuro.

[LA SERPIENTE Y LA SIERRA]

{En la vida, a veces es mejor ignorar
situaciones, personas y ofensas}

Una serpiente se coló en un taller de carpintería y mientras se arrastraba hacia la esquina, rozó una sierra y se lastimó un poco.

Sintiéndose agredida, en ese momento se giró y mordió la sierra, y mordiendo la sierra se hirió en la boca.

Entonces, no entendiendo lo que le estaba pasando y pensando que lo que vio la estaba atacando, decidió rodear la sierra con todo su cuerpo como si quisiera asfixiarla con toda su fuerza.

Así fue, desafortunadamente, la serpiente terminó siendo «asesinada» por la sierra.

A veces, reaccionamos con rabia, pensando en herir a quienes nos han hecho daño, pero en realidad nos estamos haciendo daño a nosotros mismos.

En la vida, a veces es mejor ignorar situaciones, personas y ofensas. Porque las consecuencias pueden ser irreversibles y catastróficas.

Siempre es mejor actuar con amor y perdón (aunque cueste mucho), que con palabras odiosas, porque si sigues tu camino, sin alterarte, verás a todos tus enemigos caer y tragar sus propias palabras.

[¿QUÉ ES EL AMOR?]

{Lo que amamos no es un trofeo
y el amor lo llevamos en el corazón}

- -

Uno de los niños de una clase de educación infantil preguntó:

—Maestra, ¿qué es el amor?

Como ya estaban en la hora del recreo, pidió a sus alumnos que dieran una vuelta por el patio de la escuela y trajeran cosas que invitaran a amar o que despertaran en ellos ese sentimiento.

—Quiero que cada uno muestre lo que ha encontrado.

El primer alumno respondió:

—Yo traje esta flor ¿no es bonita?

A continuación, otro alumno dijo:

—Yo traje este pichón de pajarito que encontré en un nido ¿no es gracioso?

Y así los chicos, uno a uno, fueron mostrando a los demás lo que habían recogido en el patio.

Cuando terminaron, la maestra advirtió que una de las niñas no había traído nada y que había permanecido en silencio mientras sus compañeros hablaban. Se sentía avergonzada por no tener nada que enseñar.

La maestra se dirigió a ella:

—Muy bien, ¿y tú?, ¿no has encontrado nada que puedas amar?

La criatura, tímidamente, respondió:

—Lo siento, **seño**. Vi la flor y sentí su perfume, pensé en arrancarla, pero preferí dejarla para que exhalase su aroma durante más tiempo.

Vi también mariposas suaves, llenas de color, pero parecían tan felices que no intenté coger ninguna.

Vi también al **pichoncito** en su nido, pero, al subir al árbol, noté la mirada triste de su madre y preferí dejarlo allí. Así que traigo conmigo el perfume de la flor, la libertad de las mariposas y la gratitud que observé en los ojos de la madre del pajarito.

¿Cómo puedo enseñaros lo que he traído?

La maestra le dio las gracias a la alumna y emocionada le dijo que había sido la única en advertir que lo que amamos no es un trofeo y que el amor lo llevamos en el corazón.

El amor es algo que se siente. Hay que tener sensibilidad para vivirlo. Hay que vivir en el amor para uno, para ti, para todos.

[QUE NO SE APAGUE LA LLAMA]

{Mantengamos la llama viva también
de todos los que nos rodean}

- -

Un hombre que regularmente asistía a las reuniones con sus amigos, sin ningún aviso dejó de participar en sus actividades.

Después de algunas semanas, una noche muy fría, un integrante del grupo decidió visitarlo.

Encontró al hombre en casa, solo, sentado frente a una chimenea, donde ardía un fuego brillante y acogedor.

El hombre dio la bienvenida a su casa y se hizo un gran silencio, los dos contemplaban la danza de las llamas en torno a los troncos de leña que crepitaban en la chimenea.

Al cabo de algunos minutos el visitante, sin decir palabra, examinó las brasas que se formaban y seleccionó una de ellas, la más incandescente de todas, retirándola a un lado del brasero con unas tenazas.

Volvió entonces a sentarse.

El anfitrión prestaba atención y al poco rato la llama de la brasa solitaria disminuyó, hasta que solo hubo un brillo momentáneo y el fuego se apagó repentinamente en poco tiempo.

Lo que era una muestra de luz y de calor no era más que un negro, frío y muerto pedazo de carbón.

Muy pocas palabras habían sido dichas desde el saludo, el visitante antes de prepararse para salir cogió las tenazas, regresó el carbón frío inútil colocándolo de nuevo en medio del fuego.

De inmediato la brasa se volvió a encender alimentada por la luz y el calor de los carbones ardientes en torno suyo y el anfitrión le dijo gracias por su visita y por su bellísima lección.

—Regresaré al grupo.

—¿Por qué se extinguen los grupos?

—Muy simple: porque cada miembro que se retira le quita fuego y calor al resto.

A los miembros de un grupo hay que recordarles que ellos forman parte de la llama, hay que recordar que todos somos responsables por mantener encendida la llama de cada uno y debemos promover la unión entre todos, para que el fuego sea realmente fuerte, eficaz y duradero.

Mantengamos la llama viva también de todos los que nos rodean gracias a cada una de vosotras y cada uno de vosotros por ser parte de mi hoguera.

[EL NIÑO Y LA CAMARERA]

{Jamás juzgues a alguien solo por las apariencias}

Un niño de diez años entró en un establecimiento y se sentó a una mesa.

—¿Cuánto cuesta un helado de chocolate con nueces? —preguntó a la camarera.

—Cincuenta céntimos —respondió.

El niño sacó su mano de su bolsillo y examinó un número de monedas.

—¿Cuánto cuesta un helado solo? —volvió a preguntar.

En ese momento había algunas personas que estaban esperando por una mesa y la camarera ya estaba un poco impaciente.

—Treinta y cinco céntimos —dijo ella bruscamente.

—Quiero el helado solo —dijo el niño.

La camarera le trajo el helado con mala cara.

El niño terminó el helado, pagó en la caja y se fue.

Cuando la camarera volvió, ella empezó a limpiar la mesa y entonces le costó tragar saliva con lo que vio.

Allí, puesto ordenadamente junto al plato vacío, había veinticinco céntimos.

¡Su propina!

¡Jamás juzgues a alguien solo por las apariencias!

[LA ARENA Y LA ROCA]

{Cuando un gran amigo nos ofende, debemos
escribir la ofensa en la arena.}

Dos amigos viajaban por el desierto y discutieron. Uno acabó dando al otro una bofetada.

El ofendido se agachó y escribió con sus dedos en la arena: «Hoy mi mejor amigo me ha dado una bofetada en la cara». Luego llegaron a un oasis donde decidieron bañarse.

El que había sido abofeteado empezó a ahogarse. El otro se lanzó a salvarlo.

Al recuperarse tomó un estilete y grabó en una piedra. «Hoy mi mejor amigo me ha salvado la vida».

Su amigo le preguntó:

—¿Por qué has hecho eso?

Sonriente le respondió:

—Cuando un gran amigo nos ofende, debemos escribir la ofensa en la arena, donde el viento del olvido y del perdón se encargarán de borrarla y olvidarla. En cambio, cuando un gran amigo nos ayuda, es preciso grabarlo en la piedra de la memoria del corazón, donde ningún viento de ninguna parte del mundo podrá borrarlo.

Maravillosa es la amistad.

[DEJA DE DECIR LO INTENTARÉ]

{Empieza a decirte lo haré, lo haré…}

Lo intentaré, ¿cuántas veces lo has dicho? Voy a estar saludable, lo intentaré.

Voy a ganar la partida, lo intentaré. Voy a ponerme a dieta, lo intentaré.

Subliminalmente tu cerebro recibe una señal de negativismo y tu subconsciente te empieza a decir que no te vas a esforzar al cien por cien y si acaso fallas, tú te proteges con él «yo lo he intentado».

Imagínate que vas al médico y te dice:

—Su corazón está muy delicado, hay que hacerle un triple *bypass*, hay que operarle de inmediato, aún no sé ni cómo está usted vivo.

Y tú le dices:

—Bien, doctor, sé que va a hacer una gran operación. Y él te dice:

—Lo intentaré.

Seguro que cambias de médico.

Empieza a decirte lo haré, lo haré, y tu cerebro empezará a recibir señales de positivismo y encontrará el modo de hacerlo.

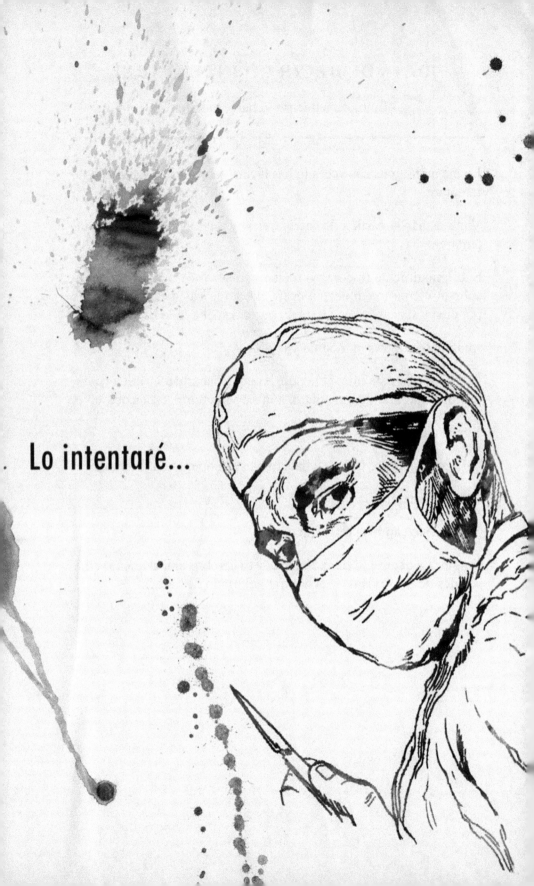

Lo intentaré...

[¿CÓMO SER SABIO?]

{Disfruta del presente}

—Me han dicho que tú eres sabio. Por favor, dime qué cosas puede hacer un sabio que no está al alcance de las demás de las personas.

El anciano le contestó:

—Cuando como, simplemente como; duermo cuando estoy durmiendo, y cuando hablo contigo, solo hablo contigo.

—Pero eso también lo puedo hacer yo y no por eso soy sabio —le contestó el hombre, sorprendido.

—Yo no lo creo así —le replicó el anciano—. Cuando duermes recuerdas los problemas que tuviste durante el día o imaginas los que podrás tener al levantarte. Cuando comes estás planeando lo que vas a hacer más tarde.

Y mientras hablas conmigo piensas en qué vas a preguntarme o cómo vas a responderme.

El secreto es estar consciente de lo que hacemos en el momento presente y así disfrutar cada minuto del milagro de la vida.

Disfruta del presente.

[AUTORRESPONSABILÍZATE]

{Echar la culpa a los demás, eso es una tontería}

Un hombre entra en un vivero de plantas y sin pensar y ni siquiera preguntar, ve lo que parece una preciosa planta.

La compra, se la lleva a su casa y la siembra en su jardín.

A los pocos meses el hombre ve que la planta, ha crecido, florecido y el jardín está lleno de preciosas flores a las cuales él es alérgico.

Desear ahora que esa planta sea una rosa o un tulipán, es una auténtica tontería.

La circunstancia no se puede cambiar por mucho que a él no le guste el final. Él es el único responsable de sus ojos llorosos.

Es lo mismo que la persona que está rodeada de mediocridad, sin importar si la semilla en el camino de la vida ha sido sembrada por él o por otra persona.

No vale de nada quejarse, inventarse excusas, echar la culpa a los demás, eso es una tontería.

Si quieres un mañana distinto empieza a sembrar en tu camino cosas distintas.

[TODOS, ALGUIEN, CUALQUIERA Y NADIE]

{Hazlo y punto}

Hay un viejo cuento con cuatro personajes:

TODOS, ALGUIEN, CUALQUIERA y NADIE.

Ocurre que había que terminar un trabajo muy importante para el día siguiente.

TODOS sabían que ALGUIEN lo haría.

CUALQUIERA podría haberlo hecho, pero en realidad NADIE lo hizo.

ALGUIEN se enojó cuando se enteró de lo sucedido, porque le hubiera correspondido hacerlo a TODOS.

El resultado fue que TODOS creían que lo haría CUALQUIERA y NADIE se dio cuenta de que ALGUIEN no lo haría.

¿Quieres saber cómo termina esta historia?

ALGUIEN reprochó a TODOS porque en realidad NADIE hizo lo que hubiera podido hacer CUALQUIERA.

Si sabes que hay que hacer algo, no te hagas el loco y esperes a que otro lo haga, porque al final puede ser peor para todos.

Hazlo y punto, lo que se llama ser proactivo.

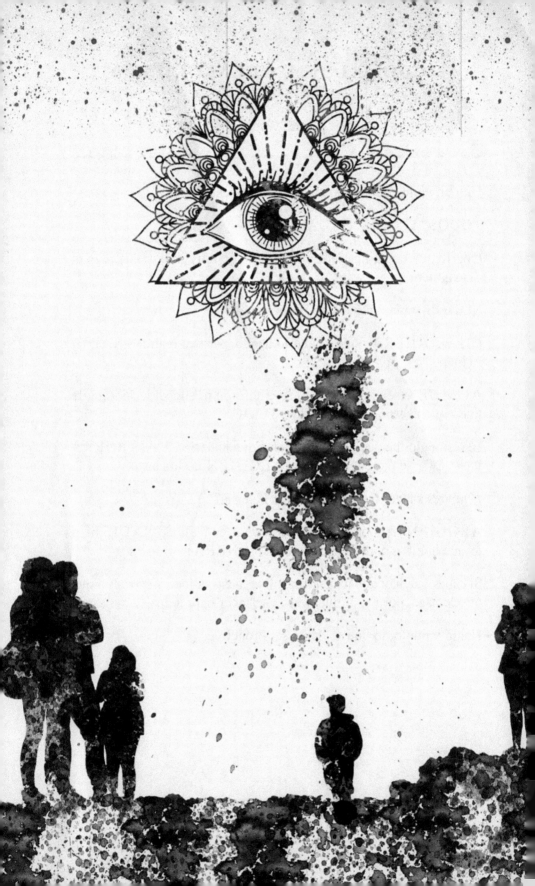

[¿QUÉ HORA ES?]

{¿Qué hora es en el reloj de tu vida?}

¿Si yo os pregunto qué hora es?

Alguno miraría su muñeca, o cogería el móvil.

Quizá alguno miraría al reloj de la pared o el del portátil. Pero yo no me refería a eso.

¿Qué hora es para ti? Esta pregunta tiene muchas respuestas.

Igual es hora de olvidar y dejar de vivir en el pasado.

Quizá sea hora de ser humilde, para los que fuimos muy orgullosos.

Quizá sea hora de ser alegre para los que vivimos en la eterna tristeza.

Qué hora es para los que fuimos egoístas, quizá nos llegó la hora de dar.

Puede que sea hora de encontrar el camino para los que estamos perdidos.

Y quizá llegó la hora de ser valientes para los que tememos los cambios.

Yo te pregunto qué hora es para ti.

¿Qué hora es en el reloj de tu vida?

[¿POR QUÉ LOS PERROS VIVEN MENOS QUE LAS PERSONAS?]

{Corre, salta y juega a diario}

¿Por qué los perros viven menos que las personas? Aquí está la posible respuesta:

Llamaron a un veterinario para examinar a un perro irlandés de trece años llamado Belker.

La familia del perro, Ron, su esposa Lisa y su pequeño Shane de seis años estaban muy unidos a Belker y esperaban un milagro.

Examinó al perro y descubrió que estaba muriendo de cáncer.

Dijo a la familia que no podía hacer nada por él y se ofreció a realizar el procedimiento de eutanasia en su casa.

Al día siguiente, sintió la sensación familiar en su garganta cuando Belker fue rodeado por la familia.

Shane parecía tan tranquilo, acariciando al perro por última vez y él se preguntaba si entendería lo que estaba pasando.

En unos minutos, el animal cayó pacíficamente durmiendo para nunca despertar.

El niño parecía aceptar la transición de Belker sin dificultad.

Se sentaron por un momento preguntándose por qué el desafortunado hecho de que la vida de los perros es más corta que la de los seres humanos.

Shane, que había estado escuchando atentamente, dijo:

—Sé por qué.

Lo que dijo después sorprendió: nunca habían escuchado una explicación más reconfortante que esta.

Dijo:

—La gente viene al mundo para aprender a ser buenas personas, vienen a aprender a amar a los demás sin condiciones. Bueno, como los perros ya nacen sabiendo cómo hacer todo eso, no tienen que quedarse tanto tiempo como nosotros.

[La moraleja de la historia es...]

Si un perro fuera tu profesor, te enseñaría lo siguiente:

Cuando tus seres queridos lleguen a casa, siempre corre a saludar. Nunca dejes pasar una oportunidad de ir a pasear.

Permítete la experiencia del aire fresco y del viento. Corre, salta y juega a diario.

Mejora tu atención y deja que la gente te toque.

Evita «morder», cuando solo un «gruñido» sería suficiente. En días cálidos, acuéstate sobre la hierba.

Y nunca olvides: «cuando alguien tenga un mal día, quédate en silencio, siéntate cerca y suavemente haz que sienta que estás ahí...».

Este es el secreto de la felicidad que, aunque no nos demos cuenta, los perros nos enseñan a diario.

[BICICLETA,
MUERTE DE NUESTRO PLANETA]

{Los peatones ni siquiera compran una bicicleta}

- -

El **CEO** de **Euro Exim Bank Ltd.** hizo reflexionar a los economistas cuando dijo:

«Un ciclista es un desastre para la economía del país.

No compra coches y no pide dinero prestado para comprar.

No paga pólizas de seguros. No compra combustible, no paga para someter el auto al mantenimiento y reparación necesario.

No paga estacionamientos. No causa accidentes graves.

No requiere autopistas de más carriles. No se vuelve obeso.

La gente sana no es necesaria ni útil para la economía.

No compran medicamentos. No van a los hospitales ni a los médicos.

No agregan nada al **producto interior bruto** del país.

Por el contrario, cada nuevo punto de venta de una hamburguesería crea al menos treinta puestos de trabajo.

Hace trabajar a diez cardiólogos, diez dentistas, diez expertos nutricionistas, además, por supuesto, de las personas que trabajan en el propio negocio».

Elige cuidadosamente: ¿ciclista o comida basura? Vale la pena pensarlo. Por cierto, caminar es aún peor.

Los peatones ni siquiera compran una bicicleta.

[UNA HORA]

{Papá, ¿Cuánto dinero ganas en una hora?}

—Papá, ¿puedo hacerte una pregunta?

—Sí, claro, dime.

—Papá, ¿cuánto dinero ganas en una hora?

—Eso no es asunto tuyo, ¿por qué me preguntas tal cosa?

—Solo quiero saber. Por favor, dime, ¿cuánto ganas por una hora?

—Si quieres saberlo, gano 100 € por hora.

—Oh. —El niño con tristeza agacha la cabeza hacia abajo—. Papá, ¿puedo pedirte prestado 50 €?

El padre se puso furioso.

—Si la única razón por la que quieres saber lo que gano es para pedir prestado dinero para comprar un juguete o alguna otra tontería, entonces quiero que te marches a tu habitación, quédate en tu cama y piensa por qué estás siendo tan egoísta. Yo trabajo duro todos los días como para lidiar con tu comportamiento tan infantil.

El niño en silencio se fue a su habitación y cerró la puerta.

El hombre se sentó y comenzó incluso a ponerse más enojado acerca de las preguntas de su hijo.

—¿Cómo se atreve a hacer tales preguntas solo para obtener algo de dinero?

Después de una hora o algo así, el hombre se calmó y comenzó a pensar:

Tal vez había algo que realmente necesitaba comprar con esos 50 € y, realmente, el niño no pedía dinero muy a menudo.

El hombre se acercó a la puerta de la habitación del niño y abrió la puerta.

—¿Estás dormido, hijo?

—No, papá, estoy despierto.

—He estado pensando, tal vez yo fui demasiado duro contigo. Ha sido un día largo y saqué mi frustración en ti. He aquí los 50 € que me pediste.

El niño se irguió, sonriendo.

—Oh, ¡gracias, papá!

Entonces, se levanta y agarra, debajo de la almohada, unos billetes arrugados. El hombre vio que el muchacho ya tenía dinero, empezó a enfadarse de nuevo. El niño contó despacio su dinero, y luego miró a su padre.

—¿Por qué quieres más dinero si ya tiene bastante?

—Porque yo no tenía suficiente, pero ahora sí papá, tengo 100 € ahora. ¿Puedo comprar una hora de tu tiempo? Por favor, ven a casa temprano mañana. Me gustaría cenar contigo.

El padre se sintió aplastado. Puso sus brazos alrededor de su pequeño hijo, y le suplicó por su perdón.

Esto es solo un pequeño recordatorio a todos vosotros que trabajáis tan duro en la vida.

No debemos dejar pasar el tiempo entre los dedos sin haber pasado algún tiempo con aquellos que realmente importan en nuestras vidas, las personas cercanas a nuestros corazones.

Piensa, si muero mañana, la compañía en la que estoy trabajando fácilmente podría reemplazarme en cuestión de horas.

Pero la familia y los amigos que dejaremos sentirán nuestra pérdida por el resto de sus vidas.

Y ahora que lo piensas así, no dediques todo tu tiempo en el trabajo, acuérdate que hay una familia que espera ansiosamente por tu llegada.

Lo más importante no puede estar en segundo plano.

Lo más importante tiene que ser siempre lo más importante.

Y tú, ¿cuánto vale una hora para no estar con tus seres queridos?

[¿ÚTIL O VALIOSO?]

{El dinero es útil, pero no es valioso}

Quizás una de las cosas que más necesitamos es aprender a distinguir lo útil de lo valioso.

Un sacacorchos es útil. Un abrazo es valioso. Una puerta es útil. Ver un atardecer es valioso. Un mechero es útil. Una amistad es algo valioso.

Casi siempre, lo útil es más caro que lo valioso. De hecho, lo valioso rara vez cuesta dinero.

Y esto ocurre porque el dinero es útil, pero no es valioso.

Lo valioso genera mucha más felicidad a largo plazo que lo útil. Y, sin embargo, a menudo. valoramos más lo útil que lo valioso.

Los mejores momentos de la vida no cuestan dinero.

Ver nacer a un hijo, el primer beso, sentir que vuelas de la mano de alguien…

Los momentos que se nos pasan por la cabeza justo antes de abandonar este mundo no costaron dinero.

Esos momentos son lo más valioso que tenemos.

Cuando te asalte una preocupación, párate a pensar si lo que buscas es útil o valioso.

Aprende a distinguir, y te darás cuenta de que vivir bien no es tan caro como te habían contado.

Espero empecemos a diferenciar lo útil de lo valioso, podemos caer en el error de no valorar lo valioso.

[EL TONTO DEL PUEBLO]

{Quien parece tonto no siempre lo es}

- -

Cuentan que, en un pueblo, un grupo de personas se divertía con el tonto del pueblo, un pobre infeliz de poca inteligencia que vivía haciendo pequeños recados a cambio de una simple moneda.

Diariamente, algunos hombres llamaban al tonto, al bar donde se reunían y le ofrecían escoger entre dos monedas, una de tamaño grande de 400 reales y otra de menor tamaño, pero de dos mil reales.

Él siempre escogía la más grande y menos valiosa, lo que era motivo de risa para todos.

Un día, alguien que observaba al grupo divertirse con el inocente hombre, le llamó aparte y le preguntó si todavía no había percibido que la moneda de mayor tamaño valía menos.

Y este le respondió:

—Lo sé, no soy tan tonto.

La moneda grande vale cinco veces menos, pero el día que escoja la otra, el juego termina y no voy a conseguir más la moneda.

Esta historia podría concluir aquí, pero… Primero quien parece tonto no siempre lo es.

Segundo, una ambición desmedida puede acabar cortando tu fuente de ingresos.

Pero lo más interesante es que podemos estar bien, aun cuando los otros no tengan una buena opinión sobre nosotros mismos.

Por lo tanto, lo que importa no es lo que piensan de nosotros, sino lo que uno piensa de sí mismo.

El verdadero hombre inteligente es el que aparenta ser tonto delante de un tonto que aparenta ser inteligente.

[NO DISCUTAS CON BURROS]

{Puedes elegir tener razón o ser feliz}

El burro le dijo al tigre:

—El pasto es azul. El tigre respondió:

—No, el pasto es verde.

La discusión se calentó y los dos decidieron someterlo a un arbitraje, y para ello concurrieron ante el león, el rey de la selva.

Ya antes de llegar al claro del bosque, donde el león estaba sentado en su trono, el burro empezó a gritar:

—Su alteza, ¿es cierto que el pasto es azul? El león respondió:

—Cierto, el pasto es azul.

El burro se apresuró y continuó:

—El tigre no está de acuerdo conmigo y me contradice y molesta, por favor, castígalo.

El rey entonces declaró:

—El tigre será castigado con cinco años de silencio.

El burro saltó alegremente y siguió su camino, contento y repitiendo:

—El pasto es azul…

El tigre aceptó su castigo, pero antes le preguntó al león:

—Su majestad, ¿por qué me ha castigado?, después de todo, el pasto es verde.

El león respondió:

—De hecho, el pasto es verde.

El tigre preguntó:

—Entonces, ¿por qué me castigas?

El león respondió:

—Eso no tiene nada que ver con la pregunta de si el pasto es azul o verde. El castigo se debe a que no es posible que una criatura valiente e inteligente como tú pierda tiempo discutiendo con un burro, y encima venga a molestarme a mí con esa pregunta.

La peor pérdida de tiempo es discutir con el necio y fanático al que no le importa la verdad o la realidad, sino solo la victoria de sus creencias e ilusiones.

Jamás pierdas tiempo en discusiones que no tienen sentido…

Hay personas, que por muchas evidencias y pruebas que les presentemos, no están en la capacidad de comprender, y otras están cegadas por el ego, el odio y el resentimiento y lo único que desean es tener la razón aunque no la tengan.

Cuando la ignorancia grita, la inteligencia calla. Tu paz y tranquilidad valen más.

Preciosa historia que me pasaron por el «Cara-Libro». Como siempre digo puedes elegir tener razón o ser feliz.

Dime, ¿tú que prefieres?

[EL SECRETO DE LA FELICIDAD]

{Todo lo que necesitamos hacer es preguntar
y escuchar la voz de nuestro subconsciente}

Cuenta la leyenda que los seres humanos habían abusado tanto del secreto del éxito y la felicidad, que el Concilio de los Sabios, que estaba a cargo de cuidar de él, decidió tomar el secreto del éxito y esconderlo de las personas en un lugar donde ellas nunca pudiesen volver a encontrarlo.

Y el dilema fue dónde esconderlo.

Uno de los miembros del concilio sugirió enterrarlo en lo más profundo de la tierra, pero el más sabio de todos dijo:

—No, eso nunca funcionaría, ya que un día los seres humanos podrán excavar hasta los rincones más profundos de la tierra y sin duda lo encontrarán.

Otro de los sabios dijo:

—¿Y por qué no ocultar el secreto del éxito en las tenebrosas oscuridades del más profundo de los océanos? Pero el más sabio de todos repuso nuevamente:

—No, tampoco serviría, ya que con el tiempo los seres humanos seguramente aprenderán cómo llegar allí y entonces lo encontrarán.

Otro sugirió:

—¿Y por qué no tomamos el secreto del éxito y lo llevamos a la cumbre de la montaña más alta del planeta y lo escondemos allí?

—No —respondió al más sabio de ellos nuevamente—. Eso tampoco funcionaría, ya que un día los seres humanos aprenderán cómo escalar, inclusive la más alta de todas las montañas, y lo encontrarán y se adueñarán de él nuevamente.

Y cuando todos parecieron coincidir en que no había lugar en la tierra o en el mar donde pudieran esconder el secreto del éxito, sin que las personas lo pudiesen encontrar, el más sabio de todos tomó la palabra y dijo:

—He aquí lo que haremos con el secreto del éxito y la felicidad, para que los seres humanos nunca puedan volver a encontrarlo: lo enterraremos muy dentro de su propia mente, ya que con seguridad ellos nunca pensarían en buscarlo dentro de sí mismos.

Y la historia cuenta que hasta el día de hoy las personas han caminado por todos los rincones de la tierra y el mar, escarbando, escalando y navegando por los confines más recónditos del universo, en busca de algo que ya se encuentra dentro de sí mismos: el secreto del éxito y la felicidad.

Y la moraleja de esta historia es muy sencilla, todos queremos ser felices y tener éxito en la vida, pero infructuosamente buscamos fuera de nosotros algo que siempre estuvo dentro de nuestra mente y nuestro corazón, el secreto para vivir una vida plena y feliz.

Qué triste que, en medio de nuestro afán por lograr el éxito, no nos creamos poseedores de tan grande fortuna, porque lo cierto es que las respuestas a todas nuestras preguntas, las soluciones a todos nuestros problemas, el poder para hacer realidad nuestras metas más ambiciosas, se encuentra enterrado en lo más profundo de nuestra mente.

Todo lo que necesitamos hacer es preguntar y escuchar la voz de nuestro subconsciente.

[EL NIÑO Y EL PERRO]

{Yo tampoco puedo correr y él necesitará
a alguien que lo comprenda}

- -

Un niño le dijo a un granjero:

—Señor, me gustaría que se viniera conmigo uno de sus cachorritos.

—¿Seguro? —dijo el granjero comenzando a silbar.

Y cuatro pequeñas bolas de piel aparecieron. Entonces de la casilla, salió a hurtadillas otra pequeña bola. Esta era notablemente más pequeña, se deslizó por la rampa y comenzó a renquear en un infructuoso intento para alcanzar al resto.

El niño apretó su carita contra la cerca y gritó con fuerza:

—Quiero ese —señalando al más pequeño.

El granjero le dijo:

—Hijo, él nunca podrá correr y jugar contigo de la forma en que tú quisieras.

Al oír eso el niño bajó la mano lentamente, se subió el pantalón en una de sus piernas, le mostró una prótesis de acero, y le dijo:

—Como usted verá, señor, yo tampoco puedo correr y él necesitará a alguien que lo comprenda.

[AGRADECIMIENTOS]

Te dediqué este libro, pero es que mi vida es un camino de admiración por tu buen hacer, por cumplir de forma espectacular tu parte en ella, por ser para mí un orgullo de ser tu padre. Te quiero, **Brianda**.

Para el creador, motivador, la persona que está ahí diciéndome que puedo hacerlo, a esa persona a la que aún no conozco de forma presencial, pero que hace que tenga ganas de seguir luchando a pesar de todo y, además, el creador de dar forma física a *Mis cuentos prestados*, mi amigo, hermano: **Daniel Albors**.

A vosotras que habéis corregido el libro, os debo un buen vino: **Olga**, **Inés**, **Edurne** y **Pilar**.

Cómo no, a todos mis amigos que me han apoyado en el camino, que me han dicho que tenía voz para llegar a crear toda esta maravilla de videos: **Ramón**, **Mónica**, **Uriel**, **Enéritz**.

Gracias, **Rocío** por tu apoyo incondicional. Sé que siempre estás ahí.

Alberto, por tanta ayuda desinteresada que me has dado siempre.

Vicente sin tu apoyo, en todos los sentidos, este proyecto no habría salido a la luz.

A ti, por tantos ratos maravillosos en nuestros bares y los que vendrán por todo el mundo, sin lugar a dudas, **Adri** nos vemos en el equipo del presidente.

A toda mi familia de **TikTok** que en cada directo me han pedido este libro.

A mi amigo, mi hermano catador, mi compañero durante más de treinta años, gracias, mi querido **José**, sé que tomaremos muchas cervezas, muchos vinos, pero sobre todo tendremos muchos momentos de charla, que son mágicos para mí.

A **ti**, que estás leyendo estas páginas, gracias a ti esto toma vida; sin ti esto no sería posible.

A mi tía **María Jesús**, pues ella fue la que me metió el arte en la sangre, ella también con sus más de ochenta años me sigue en YouTube y me anima a seguir grabando vídeos. Gracias por demostrarme que esta vida es mucho mejor cuanto más das.

A vosotros dos que ya no estáis. A vosotros dos que hizo que vuestro amor se fusionara en **Carlos Canal CCS**. A pesar de todo, sé que seguís ahí. Mi misión es con el tiempo honraros, quizá la vida dio vueltas inesperadas, pero eso no quita para que sigáis en mi corazón.

A mi tía **Flora**, ella me ha enseñado también que la vida es mucho mejor cuando ayudas y aportas a los demás.

Deseo de corazón que seas inquebrantable, invencible, cree siempre en ti y por supuesto pásatelo pirata. Ya sabes que la vida es muy corta como para beber mal vino.

Espero hayas navegado por estas páginas y te hayan hecho pensar como a mí.

Te quiero.

Sé inquebrantable, invencible, cree siempre en ti.

Y pásatelo pirata.

Recuerda que la vida es muy corta como para beber mal vino.

Nos vemos en los bares.

Chao, familia.

[ÍNDICE CUENTOS]

{Qr}

- -

[33] {Me aburro papá}

[59] {La Negra}

[39] {Yo puedo}

[61] {El remedio}

[43] {La asertividad de Ruth}

[63] {Somos ricos}

[47] {María aprende a ser feliz}

[65] {No te metas en mi vida}

[55] {Juntos somos mejores}

[69] {El círculo del odio}

[57] {La lectura}

[71] {A ti mujer}

[73] {¿Lo sabías?}

[75] {El poder la palabra}

[77] {¿Quién dobló mi paracaídas?}

[79] {Serví como camarero}

[81] {No me dejes llorar mamá}

[83] {Ata tu camello}

[85] {La casa de papá y mamá}

[87] {El cuento dentro del cuento}

[89] {María y Antonio}

[93] {El cuenco de madera}

[95] {Nada va a marcar la diferencia}

[97] {El cura y el niño}

[99] {La serpiente y la sierra}

[101] {¿Qué es el amor?}

[103] {Que no se apague la llama}

[105] {El niño y la camarera}

[107] {La arena y la roca}

[109] {Deja de decir lo intentaré}

[111] {¿Cómo ser sabio?}

[113] {Autorresponsabilízate}

[115] {Todos, alguien, cualquiera y nadie}

[117] {¿Qué hora es?}

[119] {¿Por qué los perros mueren antes que las personas?}

[121] {Bicicleta, muerte de nuestro planeta}

[123] {Una hora}

[125] {¿Útil o valioso?}

[127] {El tonto del pueblo}

[129] {No discutas con burros}

[131] {El secreto de la felicidad}

@carloscanalccs

Portada, diseño e ilustraciones: © Daniel Albors i Sellés

Colaboración: Mariana Eguaras - Consultoría editorial

Julio de 2023